LE MÉMO

Couverture

- Conception graphique:
  KATHERINE SAPON
- Photo:
  MARC DROLET

Maquette intérieure

- Conception graphique:
  JEAN-GUY FOURNIER

Équipe de révision

Daniel Ariey-Jouglard, Jean Bernier, Monique Herbeuval, Patricia Juste, Jean-Pierre Leroux, Odette Lord, Linda Nantel, Paule Noyart, Jacqueline Vandycke

DISTRIBUTEURS EXCLUSIFS:

- Pour le Canada:
  AGENCE DE DISTRIBUTION POPULAIRE INC.*
  955, rue Amherst, Montréal H2L 3K4 (tél.: 514-523-1182)
  *Filiale de Sogides Ltée
- Pour la France et l'Afrique:
  INTER-FORUM
  13, rue de la Glacière, 75013 Paris (tél.: (1) 43-37-11-80)
- Pour la Belgique et autres pays:
  S. A. VANDER
  Avenue des Volontaires, 321, 1150 Bruxelles (tél.: (32-2) 762.98.04)

CHERYL REIMOLD

FAITES-VOUS CLAIREMENT COMPRENDRE

- RÉDIGEZ AVEC CONCISION
- COMMUNIQUEZ AVEC EFFICACITÉ
- ÉCRIVEZ DES TEXTES QUI FRAPPENT

Traduit de l'américain
par
Jean-Pierre Day

LES ÉDITIONS DE L'HOMME *

CANADA: 955, rue Amherst, Montréal H2L 3K4

*Division de Sogides Ltée

Données de catalogage avant publication (Canada)

Reimold, Cheryl

Le mémo

Traduction de :How to write a million dollar memo.

2-7619-0563-6

1. Memorandums. I. Titre.

HF5726.R4414 1985 651.7'55 C86-096028-5

Ce livre a été publié en anglais sous le titre:
How to Write a Million Dollar Memo
(ISBN original: 0-440-53782-7)
chez Dell Publishing Co., Inc.

Bibliothèque nationale du Québec
Dépôt légal — 1er trimestre 1986

ISBN 2-7619-0563-6

N'importe qui peut faire l'histoire.
Seul un grand homme peut l'écrire.

Oscar Wilde

Je suis un ours peu intelligent,
et les grands mots m'ennuient.

A. A. Milne

à mon père

Avant-propos

Vous êtes un écrivain. Vous êtes-vous déjà perçu comme tel? Quel que soit votre titre ou votre expérience, vous passez une partie de votre journée à écrire. C'est de cette façon que vous communiquez avec les gens, tant à l'extérieur qu'à l'intérieur de votre entreprise. C'est de cette façon que vous vous faites connaître, que vous faites connaître votre travail et que vous faites savoir pourquoi vous êtes le plus qualifié pour l'accomplir.

Votre carrière peut dépendre de votre façon d'écrire; celle-ci peut convaincre les gens de faire ce que vous voulez qu'ils fassent. Elle peut aussi les éloigner.

Ce livre vous montrera comment l'écriture peut vous aider, et non vous nuire. Il n'y a pas de moyen terme. Les gens seront intrigués ou agacés, impressionnés ou indifférents; ils auront hâte de travailler avec vous ou ne montreront aucun intérêt pour votre offre. Il n'en tient qu'à vous. Par votre seule façon d'écrire, *vous* pouvez déterminer leur réaction.

Qu'est-ce qu'un bon mémo? Réponse: un mémo qui persuade, qui intéresse et qui informe. Ce livre vous montrera comment y arriver, et bien plus encore.

Vous apprendrez comment écrire de façon limpide et succincte des mémos, des lettres, des offres de service et des rapports. Pour la clarté de mon propos, je n'ai utilisé que le genre masculin: si vous voyez "il", cela signifie "il" ou "elle". Nous savons tous ce que cela veut dire, alors pourquoi embrouiller inutilement le texte?

Restons simple. C'est là la première leçon à retenir.

Introduction

Quiconque veut réussir en affaires — et j'entends *quiconque* — doit développer chez lui une qualité essentielle: il doit pouvoir se servir efficacement du langage. Un point c'est tout.

Pensez-y. Aujourd'hui bien plus qu'auparavant, vous devez pouvoir écrire et parler de façon intelligible pour:

• Trouver un emploi. De nos jours, à cause du nombre de travailleurs qualifiés sans emploi, une simple demande d'entrevue nécessite une offre de service et un curriculum vitae qui attirent l'attention.

• Obtenir de l'avancement. L'expérience *ne suffit pas*. Ceux qui veulent gravir les échelons de l'entreprise doivent démontrer leur aptitude à diriger le personnel et à tenir leurs supérieurs informés par le biais d'une communication limpide et efficace.

• Obtenir des fonds pour votre service. À mesure que l'industrie devient plus spécialisée et plus complexe, les mémos et les rapports techniques peuvent paraître de plus en plus incompréhensibles aux yeux des cadres chargés de les lire.

• Accomplir votre travail et ce, qui que vous soyez. Les secrétaires lisent régulièrement des lettres, y répondent et vont même jusqu'à en signer quelques-unes elles-mêmes. Des cadres peuvent prendre plusieurs heures pour rédiger des mémos, des lettres ou des rapports. Médecins, avocats, politiciens, informaticiens:

tous doivent continuellement rédiger des mémos, des offres de service, parfois même des discours.

Ce livre contribuera à améliorer votre rendement et vos perspectives de carrière par l'utilisation efficace du langage. Une écriture efficace est une écriture qui fait que *vos désirs se réalisent:* un emploi, une augmentation de salaire, de l'avancement, des fonds pour un projet. On vous montrera comment réaliser ces rêves en apprenant seulement à bien rédiger un mémorandum. Vous verrez comment appliquer cette technique pour rédiger une offre de service, une lettre de plainte, des mémos et rapports techniques — toujours avec la même efficacité.

Dans les pages suivantes, vous vous familiariserez avec une nouvelle manière de penser et d'écrire. Vous apprendrez des techniques particulières s'appliquant à chaque étape de la rédaction et on vous indiquera s'il vaut mieux écrire ou dicter votre texte. Vous verrez comment le traitement de texte sert magnifiquement la technique exposée dans ces pages. Vous trouverez des conseils quant à la disposition et au format du mémo et des lignes de conduite vous permettant de rédiger de bonnes introductions et des conclusions claires et précises. Vous y trouverez même des exercices qui vous permettront d'apprendre sans l'aide de personne.

Ce que vous *ne trouverez pas* dans ces pages, ce sont des formules toutes faites de mémos que vous n'auriez qu'à copier. C'est pourtant ce que font les gens d'affaires depuis des décennies: copier des formules toutes faites et y ajouter de vagues informations. Comme n'importe quel écrit, le mémo doit communiquer de façon sincère votre pensée à une personne. La communication d'individu à individu n'a rien à voir avec le fait de remplir des formules — comme vous allez le voir.

Les années 80 pourraient aisément porter le nom d'"époque de la communication". Les spécialités, les domaines d'activités sont diversifiés, isolés, imperméables; ils sont cependant à ce point interdépendants que s'il n'y avait pas de communication limpide et efficace, nous ne nous comprendrions plus. Le monde des affaires a un énorme besoin de communication. Il ne peut s'en passer.

La communication: tel est le sujet de ce livre, et ce livre s'adresse à vous.

I
Un mémo efficace

Le mot juste est un agent puissant.
Mark Twain

Écrire bien, c'est converser différemment.
Laurence Sterne

1 Le secret d'un mémo efficace

Un mémo efficace, c'est un mémo qui vous permet d'atteindre votre but. Il le fait en comblant le besoin qu'a le lecteur d'une communication limpide et compréhensible.

L'aspect primordial d'un mémo efficace, c'est la *volonté* — volonté de vous projeter, d'offrir quelque chose qui vous appartienne. Si vous avez cette volonté en vous, vous pourrez, grâce à ce livre, rédiger un mémo efficace.

Considérons d'abord le point de vue économique. Vous pouvez ne pas vous rendre compte à quel point vous êtes près du million. Si votre emploi vous donne 25 000$ par année et que vous bénéficiiez d'une augmentation annuelle de 10 pour 100, vous atteindrez le million dans moins de 17 ans. Si vous gagnez 20 000 $, vous atteindrez le million dans moins de 19 ans. Un million de dollars, ce n'est pas qu'un simple rêve.

Mais peut-être ne voulez-vous pas attendre si longtemps. Peut-être voulez-vous accélérer le processus. Un cadre qui gagne 65 000 $ par année atteindra le million dans moins de dix ans, en escomptant une augmentation de salaire de 10 pour 100 par année et en ne tenant pas compte des avantages sociaux. Il ne vous est donc pas impossible d'atteindre le million. Celui-ci est bien réel et vous pouvez l'atteindre plus vite que vous ne le pensez en *apprenant à bien écrire*.

Comment ça? Parce que si vous écrivez bien, les gens vous liront, vous écouteront et vous comprendront. Parce que vous ferez partie de ces *quelques* gens d'affaires dont on aime recevoir les mémos, les lettres et les rapports. Parce que vous répondrez à ce grand besoin de communication limpide et compréhensible.

Pensez aux heures que vous passez chaque jour à essayer de déchiffrer l'"information" verbeuse qui atterrit sur votre bureau. Songez alors à ce que doit lire votre patron! Plus il y a de gens sous vos ordres, plus nombreux sont les mémos que vous recevez. Plus vous recevez de mémos, moins de temps vous pouvez accorder à chacun. Vous ne porterez donc votre attention que sur ceux dont le contenu est exprimé en langage clair et compréhensible, ceux qui répondent à vos besoins.

Vous vous êtes procuré ce livre en espérant qu'il vous rapprocherait de votre but: gagner un million de dollars ou atteindre tout autre objectif vous motivant, vous. Nous ne lisons que pour répondre à un besoin, qu'il soit esthétique ou pratique. *Et les gens que nous estimons le plus sont ceux qui répondent à nos besoins les plus pressants.*

Un des besoins les plus pressants de toute entreprise est une bonne communication. Celle-ci est essentielle à sa survie. Sans une bonne communication, les meilleures gens d'affaires sont impuissants.

Si vous regardez de près les directeurs de votre compagnie, vous verrez qu'ils n'ont pas atteint le sommet par leur seule compétence technique.

Pour prendre les décisions appropriées, les cadres supérieurs doivent comprendre parfaitement les rouages de l'ensemble de la compagnie, du service de la comptabilité à celui de la recherche et du développement. De la même façon, chaque directeur de service doit être au fait des idées, des suggestions, des ambitions et des problèmes de son personnel, de façon qu'il ait le meilleur rendement possible. Et la communication doit bien s'établir entre les cadres et le personnel. À défaut d'une bonne communication, les directives peuvent être mal interprétées, le personnel peut se sentir lésé ou avoir un rendement médiocre.

C'est ainsi qu'un mémo efficace vous fera atteindre votre but en comblant les besoins de celui à qui il est adressé. C'est clair et simple. Ce livre vous montrera comment rédiger un mémo. Votre seule contribution sera votre volonté d'essayer.

Comment communiquer, non pas seulement informer

Considérons ce terme: *communication*. Il est issu du latin *communis*, qui veut dire "commun". Il se rapporte à ce qui nous est commun à tous, à notre "humanité" si vous voulez.

Communiquer veut dire beaucoup plus qu'*informer*. Cependant, en affaires, on confond trop souvent les deux. On *informe* les gens des faits, ensuite, on pense avoir *communiqué* avec eux. Et on se demande ensuite la raison de leur peu d'enthousiasme.

L'informateur fournit des faits, sans plus. Ce terme a même acquis une connotation péjorative; ainsi, la police a des "informateurs", les agents de renseignements ont des "informateurs". Peut-être le terme s'applique-t-il bien à de tels individus en raison même du manque d'"humanité" qui les caractérise. Une encyclopédie, un ordinateur, une liste de données informent. Mais seul un être humain peut communiquer.

Les grands communicateurs sont ceux qui visent les caractéristiques communes de l'humanité et cherchent à atteindre le plus d'individus possible. Ils ne sont pas seulement intéressés par le besoin de connaître ou d'"être informés" mais par d'autres besoins tout aussi importants: travailler, jouer, prendre des décisions, faire des choix — susciter l'émulation. La communication concerne tous ces besoins.

Comment discerner — et combler — les besoins de vos lecteurs

Le bon communicateur cherche à répondre au plus grand nombre possible de besoins. Et les gens réagissent, cherchant à leur tour à répondre à *ses* besoins.

Quels sont ces besoins? Je vous les désignerai sous peu; et vous en ajouterez sûrement d'autres. Pourquoi travaillez-vous? Pour l'argent bien sûr, pour ce fameux million que vous atteindrez plus tôt que vous ne l'aviez prévu. Mais est-ce tout? Faites-vous des affaires seulement pour l'argent? Ou y a-t-il quelque chose dans votre profession, dans votre travail, que vous aimez profondément, quelque chose qui répond à un besoin, qui donne un sens, un but à votre vie, quelque chose à quoi vous pouvez réfléchir et dont vous pouvez parler une fois votre journée terminée, quelque chose qui vaut plus d'un million de dollars?

Imaginons que vous ayez en main ce million de dollars. Que feriez-vous à votre retour d'une croisière aux Bahamas? Après avoir investi votre argent à un taux de rendement de 30 pour 100? Après vous être assuré de n'avoir plus jamais besoin de travailler pour de l'argent? Partiriez-vous continuellement en croisière?

Non, sans doute. Si vous lisez ces pages, il y a des chances pour que vous soyez fortement motivé et que vous aimiez votre travail, que vous le fassiez avec efficacité et que vous en tiriez profit, ne serait-ce que pour vous-même. Mais qu'aimez-vous faire d'autre?

Quels sont vos besoins?

Arrêtez-vous un moment et prenez une feuille de papier. Inscrivez-y tout ce que vous feriez si vous aviez ce million de dollars. Puis, vis-à-vis de chacun des éléments que vous avez notés, expliquez pourquoi.

Les raisons que vous aurez notées constituent vos besoins les plus importants. Peut-être comprennent-elles:

- l'amitié;
- l'approbation d'autrui;
- la satisfaction du travail bien fait;
- la stimulation intellectuelle;
- la découverte et l'élargissement du champ de la connaissance;
- la satisfaction esthétique.

Voici, en toute sincérité, certains de mes besoins. Vous pouvez en partager quelques-uns avec moi ou en ajouter d'autres qui vous touchent davantage. Ensemble, nos listes comprennent sans doute la plupart des besoins d'un être humain, besoins dont la réalisation aide à combler notre vie et à la rendre plus agréable.

Rappelez-vous: le mémo efficace est celui qui fait que vos désirs se réalisent.

Le secret d'un mémo efficace: répondre aux besoins de vos lecteurs.

Ceux-ci essaieront ensuite de vous donner ce que vous désirez.

En pratique cependant, comment allez-vous, dans un simple mémo, répondre à tous ces importants besoins humains?

Vous tenterez d'abord de connaître ces besoins et de les combler. La plupart des gens n'arrivent même pas à cette étape; ils sont trop préoccupés par l'*information* pour penser à *communiquer*. Arrêtez-vous ensuite à chacun des besoins inscrits sur votre liste.

L'amitié. Rédigez votre mémo sur un ton personnel et amical qui invite à un sourire et une poignée de main plutôt qu'à une attitude mécanique. Utilisez les termes et le style que vous adopteriez avec un ami. Laissez votre personnalité transpirer du contenu et faites-la apprécier par vos lecteurs.

L'approbation d'autrui. Adressez-vous au lecteur avec respect, en lui faisant comprendre que sa réponse et son opinion vous importent.

La satisfaction du travail bien fait. Rédigez un mémo complet, compréhensible et intelligent. Si vous devez faire une suggestion, montrez au lecteur qu'elle contribuera à améliorer son travail (et non pas seulement le vôtre).

La stimulation intellectuelle. Pensez que votre lecteur aime à être stimulé. Partagez avec lui la joie de vos découvertes ou de vos recommandations. Si vous abordez un sujet qui l'intéresse — ce qui devrait être le cas — dites-vous qu'il est prêt à faire un effort pour comprendre et donnez les renseignements qui lui permettront de le faire.

La découverte et l'élargissement du champ de la connaissance. Tout comme vous, le lecteur veut élargir sa connaissance, particulièrement sur les sujets qui influent sur lui-même et son travail. Dites-lui en termes simples et limpides qu'il n'a pas à faire de trop grands efforts pour comprendre. Donnez-lui l'information dont il a besoin pour comprendre ce que vous lui dites. Écrivez de façon cohérente et logique. Comment? Vous apprendrez tout ça dans les chapitres qui suivent.

La satisfaction esthétique. Rendez votre mémo agréable à lire. Choisissez vos mots. Changez constamment la formulation de vos phrases. Relisez-vous pour voir si le ton vous paraît juste.

La façon dont vous comblerez ces besoins est précisément le propos de ce livre. Mais pour le moment, souvenez-vous simplement que vous *essaierez de les combler* chaque fois que vous écrirez à quelqu'un.

C'est là le secret d'un mémo efficace.

En quoi un mémo est-il si important?

Si la communication est le flux essentiel d'une entreprise, les mémos en constituent la circulation. C'est le moyen par lequel les employés communiquent entre eux, sur papier. Chaque fois que vous rédigez un mémo, vous avez une chance unique de vous faire bien voir de la direction. En définitive, le mémo peut être le seul moyen de vous faire remarquer de certains cadres haut placés, pour un certain temps du moins. Dans vos mémos, vous montrez votre caractère, vos aptitudes professionnelles, votre créativité et votre capacité à vous exprimer clairement et efficacement. Le mémo est votre instrument de succès quotidien.

Si, en outre, vous êtes capable de rédiger un bon mémo, vous pouvez rédiger n'importe quel autre écrit en affaires. Le mémo constitue le défi ultime. C'est une missive qui est adressée à plusieurs lecteurs, de sorte que vous devez tenir compte d'une multitude d'intérêts et de besoins. C'est un rapport, mais beaucoup plus succinct qu'un rapport normal; par conséquent, vous devez en réduire la dimension sans en réduire la portée ou la lisibilité. Il contient souvent des renseignements techniques, mais il est souvent envoyé à des gens qui ne sont pas familiers avec les aspects techniques, de sorte que vos propos doivent être limpides, explicites et intéressants.

Les règles qui prévalent ici s'appliquent à tous les rapports, notes de service, lettres, et comptes rendus que vous serez appelé à écrire. Dans les chapitres qui suivent, vous apprendrez comment les appliquer à chaque besoin spécifique.

2 Modifiez votre approche

Considérons un mémo typique. Imaginons que vous veniez d'assister à un congrès sur les techniques administratives et que vous vouliez écrire un mémo sur le sujet à l'intention de votre patron et des cadres supérieurs de la compagnie. On abordera d'abord l'ancienne façon de faire — approche adoptée malheureusement encore par la plupart des gens d'affaires.

Écrire un mémo: la méthode ancienne

1. Drapez-vous, en imagination, de la livrée de l'homme d'affaires. Remarquez que je n'ai pas dit: "Prenez le ton de l'homme d'affaires." Ça ne ferait pas sérieux! Il s'agit de faire important, un peu guindé et aussi un peu obséquieux à l'endroit des supérieurs. Quel que soit votre sentiment, rendez-le complexe, tout comme les mots dont vous vous servirez dans votre mémo.

2. Mettez en haut

DE:	**OBJET:**
À:	**DATE:**

en y ajoutant le moins d'information possible. Après *objet*, écrivez seulement "Congrès XYZ, 5 avril 1983."

3. Commencez par dire de quoi vous parlerez, en utilisant le plus de mots possible et de préférence à la voie passive. Par exemple:

"Le 5 avril 1984, un voyage a été fait par B. Germain et J. Bernier à Toronto, Ontario, dans le but d'assister au congrès XYZ sur les techniques administratives. Le but et les sujets couverts par le congrès XYZ sont décrits ci-après."

4. Décrivez le congrès dans l'ordre chronologique — de la première conférence à la dernière, en donnant une idée générale de chaque sujet traité.

5. Terminez en disant que les méthodes de contrôle de la circulation évoquées dans une conférence méritent d'être appliquées, mais faites-le sur un ton impersonnel:

"Il a semblé aux participants de cette compagnie que certaines des "méthodes de contrôle de la circulation" évoquées par M. Barker de la compagnie Brass Band semblaient d'un certain intérêt pour cette compagnie, à la condition d'être étudiées en détail et adaptées aux exigences particulières de la compagnie."

6. Annexez un compte rendu de chaque conférence ou session. À défaut de comptes rendus, joignez un résumé de celles qui ont attiré votre attention.

Ce type de mémo vous est-il familier? Il devrait l'être. Il ne fait que reprendre les éléments principaux de plusieurs "mémos de voyage" se trouvant devant moi et provenant de diverses personnes travaillant pour des compagnies différentes. Chacun reflète le travail acharné de son auteur, tant au niveau de l'effort déployé au congrès qu'à celui de l'effort dépensé pour rédiger un texte exhaustif et utile.

Mais malgré tout cet effort, ce "mémo typique" est désastreux. Il est ennuyeux. Il s'embrouille dans sa propre complexité. Il n'a pas l'air d'avoir été écrit par une personne en chair et en os: il aurait pu être écrit par un ordinateur. Et le patron mettra sans doute un crochet à côté du nom de son auteur, demandant à sa secrétaire de déposer ce document dans un classeur, ce qui mettra le point final au dossier Congrès XYZ. Il est peu probable que le lecteur s'aventure à appliquer les méthodes de M. Barker, n'ayant pu poursuivre assez longtemps la lecture du mémo.

Abordons maintenant l'autre approche.

Écrire un mémo: la nouvelle méthode

1. Habillez-vous le plus confortablement possible, assoyez-vous et amorcez la conversation — tout cela dans le sens figuré. Avez-vous déjà regardé l'émission télévisée *Mister Roger's Neighborhood** en compagnie d'un jeune enfant? Si vous ne l'avez déjà fait, vous devriez. Vous y apprendrez ce que c'est qu'un langage simple et direct adapté à la communication — le seul langage qui vaille. L'émission commence invariablement de cette façon: Fred Roger entre par la porte de devant puis troque son veston contre un chandail et ses souliers contre des espadrilles. Détendu et à l'aise, il s'assoit pour parler à un enfant *unique*, celui qui le regarde à la télévision. C'est l'image que vous devriez avoir de vous-même quand vous vous proposez d'écrire: vous êtes confortablement assis et vous conversez de façon simple et directe avec une autre personne.

2. Commencez par vous parler à vous-même. Imaginez un dialogue avec une des personnes qui recevront le mémo — celle dont la réaction vous importe le plus.

---

*Série populaire américaine. (N. d. T.)

Mettez-vous à sa place. Pensez à ses intérêts, à ses priorités, à ses désirs, à ses besoins, à son caractère, à son état d'esprit à l'heure actuelle. Apprêtez-vous à rédiger le dialogue *exactement* comme vous l'imaginez: vous vous exprimerez ainsi de façon beaucoup plus imagée, plus vivante. On a toujours tendance à écrire de manière ampoulée.

3. Quand vous aurez dépassé le stade où on "entend des voix", mettez le dialogue sur papier. Celui-ci comprendra des questions de la part de votre futur lecteur, questions auxquelles vous répondrez. Vos réponses formeront la substance de votre mémo.

Le dialogue sur le congrès XYZ pourrait se lire comme suit:

Vous: J'ai quelque chose à vous dire.

Le lecteur: Qu'est-ce que c'est?

Vous: C'est à propos du congrès sur les techniques administratives auquel Bernard Germain et moi avons participé le 5 avril.

Le lecteur: Oui, très bien! Mais je suis occupé pour le moment. Y a-t-il quelque chose de vraiment intéressant pour moi dans ce congrès?

Vous: Oui, bien sûr. Mike Barker a décrit une nouvelle méthode de contrôle de la circulation qui pourrait nous faire économiser beaucoup de temps et d'énergie dans notre service, particulièrement quand il y a un surplus de livraisons. Barker est vice-président aux ventes de la compagnie Brass Band.

Le lecteur: Que propose Barker? (Dites-lui ce qu'il propose en deux phrases.)

Le lecteur: Cela pourrait nous être vraiment profitable. Y avait-il autre chose qui pourrait nous servir?

Vous:	(si le congrès était intéressant): Le choix des sujets indique que la formation du personnel administratif prend une certaine direction. (Expliquez brièvement pourquoi.)
Vous:	(s'il y avait d'autres conférences intéressantes): Deux autres conférences présentaient un intérêt. (Dites brièvement pourquoi.)
Vous:	(s'il n'y avait rien d'intéressant pour le lecteur): À part la conférence de Barker, rien ne sortait de l'ordinaire. J'ai fait un compte rendu succinct de chacune des conférences au cas où vous aimeriez y jeter un coup d'oeil.
Le lecteur:	Merci beaucoup. Je suis heureux que vous ayez été à ce congrès. Vous en avez extrait les sujets les plus intéressants pour nous. Voilà un travail bien fait.

---

4. Rédigez maintenant votre mémo. Servez-vous de votre première réponse pour fournir les coordonnées qui manquent au haut de la feuille. À l'article "objet", soyez exhaustif, de façon que vous n'ayez pas à vous répéter. Plutôt que d'écrire, comme dans le mémo à l'ancienne mode: "Conférence XYZ, 5 avril 1983", mettez ce que vous avez répondu:

"Compte rendu de J. Bernier et B. Germain sur le congrès XYZ sur les techniques administratives, tenu à Toronto, Ontario, le 5 avril 1983."

Vous n'avez pas à expliquer en détail, dans le premier paragraphe, ce que le destinataire a déjà pu lire dès le début.

Vous l'utilisez plutôt pour attirer l'attention du lecteur. C'est-à-dire que vous répondez d'emblée à ses interrogations. Ne vous préoccupez pas du déroulement chronologique du congrès. Revenez au dialogue et commencez votre mémo en répondant à l'interrogation principale du lecteur: "Y avait-il quelque chose de vraiment intéressant pour *moi*?"

Vous amorcez ce mémo avec les très bonnes propositions de M. Barker concernant le contrôle de la circulation. Racontez succinctement au lecteur en quoi consiste la technique de M. Barker et comment elle pourrait faire économiser du temps et de l'énergie à la compagnie.

Si un autre point est susceptible d'intéresser un de vos lecteurs, parlez-en dans les deux ou trois paragraphes suivants (retournez à votre dernière réponse du dialogue). Sinon, faites un résumé du congrès et joignez-y une liste des comptes rendus de conférences.

Quand vous aurez pris assez d'assurance, vous ne serez plus obligé d'écrire vos dialogues. Mais commencez par les coucher sur papier. Dans votre première leçon, vous apprenez à écrire lisiblement et simplement. Et c'est grâce à votre propre discours non refoulé que vous pourrez le mieux arriver à la limpidité.

L'épreuve du "besoin"

Pour voir l'efficacité de ces deux mémos en tant qu'instrument de communication humaine, nous pouvons les mettre en rapport avec notre nomenclature des besoins.

L'amitié. Le premier mémo a été rédigé par un fantôme ou par une personne qui tentait de se cacher derrière le jargon anonyme des affaires. L'auteur s'est efforcé de ne pas laisser transparaître sa subjectivité. Le contenu du deuxième mémo cherche à transcrire un dialogue amical. Dans celui-ci, l'auteur parle littéralement au lecteur qu'il imagine présent. Le lecteur sent l'effort de l'auteur qui cherche à lui parler personnellement.

L'approbation d'autrui. Le lecteur du mémo rédigé de l'ancienne manière est porté à croire que son opinion ne compte pas aux yeux de l'auteur. Tout ce qu'on lui met devant les yeux, c'est une chronologie d'événements. Mais d'emblée, le nouveau mémo dit: "J'ai de la considération pour vous. C'est pourquoi je traite d'abord de ce qui vous intéresse. Je veux répondre à votre attente. Vous valez bien cet effort de ma part."

La satisfaction du travail bien fait. L'ancien mémo ne répond nullement à ce besoin. Plat et sans vie, il reflète un travail bâclé. Il ne convainc pas le lecteur que son contenu pourra l'aider dans l'accomplissement de *sa* tâche. Le nouveau mémo, par contre, répond à ces deux attentes. Sa présentation, qui tient compte du point de vue du lecteur, incite ce dernier à croire que l'auteur a très bien représenté la compagnie au congrès. Et par son traitement exhaustif et enthousiaste des techniques de contrôle de la circulation, il décrit au lecteur une façon de rendre son travail plus efficace.

La stimulation intellectuelle. Le premier type de mémo n'offre aucune possibilité de réflexion, à moins que le lecteur ne parcoure le mémo jusqu'à la fin. Même alors, le passage sur les techniques de contrôle de la circulation risque fort peu de susciter l'intérêt. Le deuxième type de mémo apporte une solution à ce problème agaçant et donne même des éclaircissements intéressants sur les questions soulevées au cours du congrès. Il suscite la réflexion.

La découverte et l'élargissement du champ de la connaissance. Le premier type de mémo offre de l'information au lecteur. Le deuxième type fait de cette information de la connaissance; en effet, l'auteur détermine le profit possible que la compagnie peut retirer des délibérations du congrès et donne au lecteur la raison pour laquelle un sujet donné est intéressant.

La satisfaction esthétique. L'ancien mémo est ennuyeux, sans âme. Le nouveau coule comme une conversation enrichissante et répond aux questions du lecteur à mesure qu'elles sont soulevées. Le deuxième type de mémo, d'une grande limpidité, passe l'épreuve. En répondant aux attentes du lecteur, il atteint son but: susciter l'attention complète, l'approbation de gens influents, et faire en sorte que vos recommandations soient appliquées.

Voilà un mémo efficace!

3 L'aspect technique du mémo

Un mémo efficace procède d'une préparation minutieuse, depuis son élaboration jusqu'à ce qu'il soit dactylographié ou imprimé. Avant de considérer les techniques de rédaction, observons une page imprimée. Vaut-il mieux écrire que dicter? Peut-on rédiger un mémo efficace avec une machine à traitement de texte? Comment disposer le contenu pour attirer le plus d'attention possible? Nous allons aborder le pour et le contre de la rédaction manuscrite, de la machine à dicter et de la machine à traitement de texte. Puis nous toucherons à la disposition proprement dite de la page et nous donnerons dix conseils pour donner au mémo une grande lisibilité et une netteté impeccable.

Écrire ou dicter

Est-il nécessaire de rédiger le mémo? Ne peut-on le dicter?

La réponse la plus facile et la plus courante serait: "Bien sûr! Vous dictez des mémos depuis des années, n'est-ce pas? Pourquoi alors ne pas perfectionner une méthode que vous connaissez et appréciez déjà?"

Je ne suis pas d'accord avec cette réponse. Je dois admettre que je préfère coucher les mots sur papier. Pour moi, écrire c'est découvrir, c'est plonger dans ma connaissance et l'exprimer par des mots. Écrire ou dactylographier me prend sans doute du temps, et je n'atteins peut-être pas immédiatement cette connaissance qui est en moi. Mais sans doute me faut-il *visualiser* ce que je sais. Pour moi, la parole est trop rapide. Quand je parle de quelque chose, j'ai l'impression d'en faire le tour beaucoup plus vite que si j'écrivais sur le sujet. Cela m'indique que la parole ne me permet pas de pénétrer ou d'explorer entièrement un sujet.

C'est sans doute une réaction tout à fait personnelle, bien que je n'en sois pas sûr. Écrire une phrase procède d'un mouvement délibéré. La phrase vous renvoie à vous-même; elle exige cohérence et logique.

J'ai cependant une autre objection, moins courante, au fait de dicter. Dicter, c'est poser un geste public. Si vous dictez un mémo à votre secrétaire — même si vous êtes seul au moment où vous dictez — vous prenez une attitude particulière vis-à-vis d'elle ou de lui: vous êtes "le patron". Vous vous exprimez comme un patron ou du moins comme un homme d'affaires. Le ton que vous adoptez n'est pas naturel. Votre discours risque d'être pompeux, ampoulé. Écoutez-vous parler, la prochaine fois.

Si c'est vous-même qui rédigez la note, vous n'avez à rendre de compte à personne. Vous pouvez écrire librement, naturellement, en toute sincérité. Vous pouvez innover sans craindre de vous faire mal juger.

Dans ce livre, vous vous familiariserez avec une nouvelle façon d'écrire. Vous pourrez évidemment l'utiliser pour dicter. Mais si vous vous refusez à vous-même l'intimité essentielle à la recherche de l'expression, vous ne vous facilitez certes pas la tâche.

La machine à traitement de texte en tant que productrice de mémos

La machine à traitement de texte est parfaitement adaptée à la production d'un mémo efficace. Cette machine fantastique vous permet d'écrire tout ce que vous voulez, puis d'emmagasiner ce qui est bon et d'effacer le superflu, tout cela dans un minimum de temps et d'espace. Son aptitude à effacer, à remettre en place et à remplacer de grands bouts de texte représente un apport psychologique aussi bien qu'une économie de temps. Elle élimine l'aspect *permanent* de l'écrit.

Cette page blanche peut certes constituer un obstacle réel. J'avais pris l'habitude de ne pas dactylographier mes mémos même si cela me prenait beaucoup plus de temps pour les rédiger à la main. Pourquoi? Parce que je ferais n'importe quoi pour éviter de modifier un texte dactylographié. Devrais-je reprendre toute une page dactylographiée simplement parce qu'une phrase me semble mal construite, ou parce que le ton ne me paraît pas juste? Je me justifiais de toutes les manières possibles afin de ne pas avoir à dactylographier mon texte une seconde fois.

Mais la machine à traitement de texte est venue à notre rescousse. Sur l'écran cathodique, le texte est merveilleusement évanescent. Il nous invite à faire des modifications, à ajouter, à enlever, bref, à rédiger un texte parfait. On peut rédiger dix pages d'un seul coup puis en extraire la meilleure part, qui constituera, en fin de compte, un mémo d'une ou deux pages.

SIX AVANTAGES DU TRAITEMENT DE TEXTE

1. Vous pouvez modifier des passages entiers *à la toute dernière minute*; ainsi, vous n'aurez pas à redactylographier la page au complet.

2. Vous pouvez essayer à loisir plusieurs dispositions.

3. Vous pouvez garder vos notes *en un seul endroit*, et les reprendre instantanément au moment propice.

4. Vous pouvez changer des mots, des phrases, des paragraphes, même des passages entiers en quelques secondes.

5. Vous pouvez faire des commentaires sur le texte final, et les effacer au moment de l'imprimer.

6. Vous pouvez voir le manuscrit entier d'un seul trait plutôt que sur une suite de pages. Vous ne laisserez donc pas le nombre de pages ou de lignes influer sur votre pensée. Et vous sentirez davantage la forme et l'organisation de l'ensemble.

Si vous avez une machine à traitement de texte, utilisez-la à toutes les étapes de la rédaction. Emmagasinez toutes vos notes, vos pensées, vos brouillons. Mettez sur disque tout ce qui traîne sur des bouts de papier ou sur des fiches. Une seule touche du clavier vous permettra ensuite d'avoir accès à toute l'information qui vous est nécessaire.

Utilisez toujours la machine à traitement de texte pour rédiger et mettre de l'ordre dans vos textes. Quand vous vous y serez habitué, vous constaterez qu'elle vous incite à explorer vos pensées et vous permet de vous y référer pour vérification. Vous écrirez davantage, plus rapidement, et d'une façon plus précise.

L'apparence est primordiale

Le lecteur verra votre mémo avant de le lire. Vous pouvez lui plaire dès le départ en présentant un mémo bien disposé. Voici quelques conseils qui vous permettront d'en améliorer la présentation.

DIX CONSEILS POUR FAIRE UN MÉMO PARFAIT

1. Laissez de l'espace. Beaucoup d'espace. Laissez une marge d'au moins 1 1/2 po (3,81 cm) en haut de la feuille; entre le nom de la compagnie et l'en-tête,

À:	**DATE:**
DE:	**OBJET:**

laissez une marge d'au moins 1 1/2 po (3,81 cm). Laissez quatre interlignes entre l'en-tête et le corps du mémo.

Prévoyez deux interlignes entre les paragraphes. Et centrez le corps du mémo.

2. Faites des paragraphes courts. Ne rédigez pas des masses denses de texte. Même dans des mémos à caractère technique, essayez de faire plusieurs paragraphes courts plutôt qu'un long. Ils seront plus faciles à lire et à comprendre.

3. Uniformisez la présentation. Si vous commencez le premier paragraphe en retrait, faites de même pour tous les autres, en laissant un espace de retrait identique. Si vous préférez ne pas commencer un paragraphe en retrait, faites de même tout au long du mémo. Ne commencez pas un paragraphe au bas d'une page à moins d'avoir au moins deux lignes libres. Ne coupez pas un mot au bas d'une page.

4. Assurez-vous que *tous* les noms propres cités sont bien écrits. Il n'y a rien de plus désagréable que de voir son nom écrit de façon incorrecte.

5. Mettez des sous-titres. Si vous pouvez donner l'essentiel de votre message en deux ou trois sous-titres, faites-le. Il faut que le lecteur tire l'essentiel du message en parcourant le titre et les sous-titres.

6. Faites attention aux taches de doigts, de papier carbone, de crayon, aux taches grasses provenant de votre déjeuner au bureau. N'oubliez pas que l'écrit est *votre* reflet. Vous ne vous présenteriez pas devant votre patron avec de la sauce tomate sur vos vêtements, n'est-ce pas? Il en est de même pour un mémo taché.

7. Signez lisiblement et fermement. Il faut que l'on sache que vous êtes sûr de vous. Chaque lettre de votre nom doit pouvoir être lue. Vous pouvez ajouter votre prénom dans un but de rapprochement. Vous dites, de la sorte: "Vous pouvez m'appeler Jean". Mais le lecteur doit pouvoir lire ce prénom, sinon, vous n'aurez pas atteint votre but.

8. Mettez le moins possible d'abréviations, de signes de ponctuation, de majuscules et de mots soulignés. Si vous abusez de ces éléments, ils dépareront votre mémo.

9. Écrivez les nombres en chiffres, non en lettres, sauf:

— si le nombre se trouve au début d'une phrase:
Quinze employés de la compagnie étaient présents.

— si un nombre de 1 à 9 se présente seul:
Envoyez-nous quatre exemplaires du document.

10. Espacez correctement après les signes de ponctuation. Deux espaces après les deux-points et le point. Un espace après tout autre signe de ponctuation à l'intérieur de la phrase.

II
Le mémo bâclé

—Vous devriez alors dire ce que vous voulez dire,
rétorqua le lapin.
— Je le fais, répliqua aussitôt Alice,
du moins... du moins, je sais ce que je dis.
C'est la même chose, vous comprenez.
— Ce n'est pas du tout la même chose! dit le lapin.
Vous pourriez aussi bien affirmer que
"Je vois ce que je mange" est la même chose que
"Je mange ce que je vois"!

Lewis Carroll

Les mots courts sont les meilleurs et les mots anciens,
quand ils sont courts,
sont les meilleurs de tous.

Sir Winston Churchill

4 Le mémo bâclé typique

Voici un exemple de mémo bâclé, de mémo qui vaut moins que l'énergie qui y a été investie. Il est ennuyeux, plat, confond le lecteur et ne lui apporte rien. C'est celui que vous recevez malheureusement tous les jours.

À: M. Thériault **DATE: 1er avril 1983**

DE: J. Smith **OBJET: Formation**

Le présent mémo concerne la série de séminaires de formation que ce service tient sur divers sujets, le jeudi soir, toutes les deux semaines, et qui commencent aux environs de 5 h 30 pour se terminer vers 7 h, le tout dépendant du sujet à l'étude et de la période de questions allouée.

Il est devenu évident que le type de formation et de programme d'entraînement que nous avons offert au cours des dix-huit derniers mois grâce aux efforts soutenus de notre propre service et de l'appui des autres services, nous a permis d'accroître considérablement le niveau général de notre personnel, ce qui nous a permis par conséquent d'offrir un soutien technique accru à votre service comme aux autres, ce dont, je pense, vous êtes conscient.

En ce qui concerne les prochaines sessions du programme de formation, on pense que nos employés pourraient bénéficier substantiellement d'un enseignement professionnel dans les domaines de la communication technique et commerciale. Pour ce faire, mon service est entré en contact avec un certain M.R. Reddy, rédacteur et expert dans le domaine de la rédaction technique. M. Reddy a accepté de nous entretenir des rudiments de la communication verbale le jeudi 21 avril. Je suis convaincu, pour ma part, que cette session sera profitable et stimulante car elle touche à un domaine malheureusement dominé par l'incompréhension et le jargon technique.

Si des employés de votre service désirent participer à la session de M. Reddy, je vous prie d'en faire part à ma secrétaire avant le 15 avril, le nombre de participants étant strictement limité.

---

5 La langue des affaires

Le 15 avril 1980, au moment où les gens remplissaient leurs déclarations d'impôts, M. Hugh Carey, gouverneur de l'État de New York, rédigeait une note concernant la langue. Il émit une directive demandant à tous les services de l'État de rédiger tous les règlements dans un anglais clair et compréhensible. La directive disait ceci, en substance:

> "Quand conformément à la partie trois de la section deux cent deux de la Loi sur les procédures administratives de l'État, une agence soumet au secrétaire d'État un Avis des actions entreprises dans lequel il est dit qu'il y a des modifications substantielles de l'action finale par rapport à la loi ou au règlement proposé, l'agence résumera en outre les modifications, s'il y en a, qui doivent être faites à l'énoncé réglementaire de façon à bien refléter l'intention de l'action entreprise."

En d'autres mots (avec d'innombrables mots en moins): rédigez des énoncés (quels qu'ils soient) qui reflètent les préoccupations actuelles.

On vient d'avoir un exemple du lourd verbiage bureaucratique. Dans la langue des affaires, il y a de nombreuses tournures tarabiscotées que nous pouvons simplifier.

Ainsi, un gérant de scierie affirme qu'il "évalue la possibilité de faire une demande pour obtenir un opérateur additionnel" lorsqu'en fait il veut tout simplement engager quelqu'un!

D'autre part, un vice-président à la recherche envoie un mémo à son personnel pour se plaindre du fait qu'"il y a un écart de temps excessif entre votre effort productif et le résultat discernable de cet effort". Ce qu'il veut dire, c'est: "Essayez, je vous en prie, de remettre plus rapidement vos rapports techniques."

Pourquoi les gens utilisent ce discours ampoulé

Les gens qui écrivent de façon ampoulée parlent rarement de cette manière, du moins quand ils sont entre amis! On ne *pense* même pas de cette façon. Le bureau n'est pas le seul endroit où on se laisse aller au discours verbeux. On peut ne penser qu'à "mettre des rapports à jour" puis se mettre à écrire de façon verbeuse, comme ce cadre:

> "Une surveillance efficace et constante des rapports est absolument nécessaire à une évaluation des données..."

On traduit littéralement. On traduit ses pensées directes et limpides en logorrhée, simplement parce qu'on croit que *c'est ce qu'on attend de nous*. On se dit que si on écrit simplement, on perdra le respect des collègues.

Le discours ampoulé restreint votre expression

On veut avoir l'air important. En affaires, *important* veut dire, en pratique: *gros*. Une grosse compagnie est, par définition, une compagnie importante. Plus vous êtes important, plus importants sont votre salaire, votre bureau, votre personnel, votre maison, votre compte de dépenses. C'est ainsi que pour le jeune cadre, la dimension exprime l'importance des choses. Si je me sers de grands mots, les gens me croiront important. Il écrit donc:

> "Ce service est à même de prévoir un retour à la normale des opérations informatisées aussitôt qu'auront été résolus les problèmes liés à la surutilisation de l'équipement informatique."

S'il n'avait pas voulu jouer les importants, il aurait écrit:

> "On pourra reprendre le travail aussitôt que l'ordinateur sera moins surchargé."

Le problème ici, c'est que, à l'encontre des gros salaires, des grosses maisons et des gros comptes de dépenses, les grands *mots* ne sont pas utilisés que par les gens importants. En affaires, presque tout le monde les utilise. Et si vous ressemblez à tout le monde, vous ne pouvez vous attendre à avoir l'air particulièrement important.

On veut impressionner. De nos jours, le commerce procède d'un grand nombre de disciplines diverses qui ont chacune leur jargon. Ici et là, les gens parlent de multilecteur de disquettes, d'études chimiques spécifiques, de *cash-flow* — et ils impressionnent l'entourage. Ils ont l'air de spécialistes, particulièrement aux yeux de ceux pour qui ces domaines ne sont pas familiers. Nous voulons impressionner nous aussi, de sorte que nous commençons à parler le jargon du métier, soit celui qui se rattache à l'administration, soit celui qui touche à notre spécialité.

Mais tout le monde fait cela. Et il y a tant de spécialistes en tout. Cela vous impressionne-t-il d'entendre quelqu'un dire qu'il "cessera d'injecter des fonds dans un projet" plutôt que de dire qu'il y mettra fin?

Nous ne voulons pas subir l'ostracisme de nos pairs. Un adolescent dira: "J'en revenais pas!" Un homme d'affaires dira, lui: "Sur le moment, je vous assure, ma réaction a été dictée par un souci des plus sincères et par une profonde consternation." Ces deux phrases veulent dire: "J'ai été étonné!" Les termes utilisés ne font que refléter le groupe auquel les gens désirent s'identifier.

En vérité, si vous voulez jouir de la considération d'autrui en affaires, vous devez user d'un style et d'un vocabulaire laborieux et dénués d'imagination.

Mais l'avancement ne vient pas en restant dans le rang.

Si vous voulez écrire de façon alerte, limpide, si vous voulez qu'on vous lise, si vous voulez écrire des mémos efficaces, vous devez vous démarquer des gens au langage affecté et laisser les mots couler de façon simple et claire.

Vous vous dites sans doute que le risque est trop grand. Que vous devriez peut-être continuer à vous servir du jargon en usage. Écoutez plutôt ce que dit Malcolm Forbes, P.D.G. du magazine *Forbes*:

> "Soyez vous-même: écrivez de la même manière que vous parlez... Le jargon des affaires est trop souvent froid, artificiel... Ne vous donnez pas des airs. La prétention ne dupe que le prétentieux lui-même. (1)"

ou le directeur de la recherche d'une grande compagnie:

> "Si vous ne pouvez décrire vos résultats sous forme orale ou écrite, vous n'avez pas votre place dans l'in-

---

(1) Malcolm S. Forbes, "How to Write a Business Letter", *Power of the Printed Word*, International Paper Company, 1982. À paraître aux Éditions de l'Homme.

dustrie. Si vous êtes incapable de mettre vos pensées et vos données sur papier en une expression concise et claire, vous êtes perdu. (1)"

Êtes-vous convaincu maintenant? À la bonne heure. À présent, débarrassons-nous du superflu.

---

(1) *In* Porter G. Perrin, Writer's Guide and Index to English, 1965.

III
Les ennemis d'un mémo efficace

Dieu est un verbe, non pas un nom.

R. Buckminster Fuller

Tout le plaisir réside dans la façon
dont vous dites une chose.

Robert Frost

6 Comment clarifier votre expression

La première étape consiste à vous rendre compte de la lourdeur de votre langage, de la façon dont il affecte votre message. La deuxième consiste à vous décider à changer.

La décision n'est pas si facile à prendre qu'il paraît. Il est beaucoup plus facile, et plus sûr, de ne pas changer.

Souvenez-vous de ce que j'ai dit au début du chapitre premier. Le secret d'un mémo efficace réside dans votre *volonté* d'essayer.

Êtes-vous prêt à parler et à écrire de façon parfaitement compréhensible? Êtes-vous prêt à laisser tomber toutes les phrases ambiguës qui vous servent de refuge? Allez-vous faire confiance aux gens?

Ce ne sont pas là des questions académiques. Vous devez sans hésitation répondre "oui" avant d'aller plus avant. Sinon, vous ne ferez qu'utiliser d'autres mots un peu moins compliqués. Pour écrire un mémo efficace, vous devez penser d'une autre façon. Êtes-vous prêt à essayer?

Bien. Considérons donc cinq facteurs qui affectent la langue des affaires. Au fur et à mesure que vous vous en serez débarrassé, vous sentirez votre langage s'alléger.

Les cinq lourdeurs:

1. Les fioritures vides; ces mots inutiles que vous ajoutez pour impressionner autrui.

2. La surenchère de noms; une trop grande utilisation de noms mis bout à bout.

3. La voie passive; une forme qui porte à confusion et qui est inefficace, à l'opposé d'une communication personnelle.

4. Les mots inutiles; ces mots dont vous n'avez pas besoin pour exprimer votre pensée.

5. Les erreurs grammaticales; ces fautes qui masquent votre message.

Éliminez les fioritures

Les fioritures sont ces expressions ou ces termes ambigus que vous utilisez pour impressionner, avoir l'air important ou savant et ce, bien souvent quand vous manquez de confiance en vous-même. Ils sont faux parce qu'ils se présentent comme des éléments de communication. En fait, au lieu de transmettre du sens, ils l'obscurcissent.

Après un certain temps, vous les reconnaîtrez aussitôt qu'ils se présenteront à votre esprit. Vous les reconnaîtrez à leur imprécision, aux nombreuses syllabes qui les alourdissent et à l'impossibilité de les utiliser quand vous parlez à un ami.

Voici une liste succincte de ces fioritures avec, en regard, les termes limpides qui les remplacent avantageusement:

dans le but de trouver...	pour trouver...
pour faire référence à	à propos de
au montant de	pour
au niveau du fait que	concernant

concernant le fait que	à propos de
précédant	avant
subséquemment à	après
au moment où	quand
en raison du fait que	à cause de
attendu que	parce que
à la lumière du fait que	comme
dans l'éventualité où	si
en raison du fait que	parce que
à une date prochaine	bientôt
au moment présent	maintenant
dans la majorité des cas	habituellement
en raison de ce fait	de sorte que
sur réception de	quand j'aurai reçu
porter assistance à	aider
vous trouverez ci-inclus	ci-joint
avoir un potentiel de croissance	pouvoir croître
est d'avis que	croit que
à l'occasion de	à cause de
se procurer	obtenir
vous offre la possibilité de	vous permet de
prendre des actions correctives	corriger

Cette courte liste ne vise qu'à vous donner une idée de ce qu'est une fioriture. Vous en trouverez vous-même des centaines. Celles-ci sont sans doute faciles à utiliser, mais elles sont faciles à éviter aussi. Vous pouvez les éviter en laissant de côté votre orgueil d'homme d'affaires (dans lequel vous vous drapez pour masquer votre insécurité) et en ayant la ferme intention d'écrire comme vous parleriez à un ami, dans un langage clair et limpide. Il ne peut y avoir de fioritures dans un esprit qui rejette la prétention ou dans un mémo d'où l'affectation a été éliminée.

8 Plus de surenchère de noms

Les noms sont les "éléments solides" du langage. Ils sont bien implantés dans les phrases et les locutions et ne peuvent être déplacés. Certains stylistes de la langue déplorent cette propension à abuser de l'emploi des substantifs; ce qui, selon eux, brise le flux du langage. Ils appellent cela le "démon du substantif". Le mot, cependant, n'est pas approprié car les démons bougent tandis que les noms restent immobiles.

Songez aux mémos, aux lettres, aux rapports que vous rédigez. La plupart du temps, vous

- décrivez un événement ou un processus;
- expliquez comment faire quelque chose;
- demandez à ce que quelque chose soit fait;
- avancez un concept ou une théorie.

Vous vous déplacez d'une pensée ou d'une action à l'autre. Vous voulez que le langage bouge en toute liberté, de façon à traduire en mots le flot des pensées. Des mots qui brisent le flux du langage morcellent et entravent la pensée. Ces entraves, ce sont presque toujours les noms.

Pour délier le langage, il n'y a qu'à éliminer la surenchère de mots. Voyons maintenant les principaux types de surenchère.

Les amoncellements de noms

Les amoncellements de noms sont des expressions comprenant habituellement trois mots ou plus et constituées entièrement de noms. Cela donne un effet de lourdeur: le lecteur doit ralentir la lecture pour comprendre le sens. Prenons par exemple un amoncellement courant: "modifications d'une structure de pont". Il ne comprend que trois mots, mais qui entravent la lecture. Les substantifs *pont* et *structure* doivent être modifiés mentalement en adjectifs qualifiant "modifications". Cela entrave la lecture. "Changements dans la structure du pont" peut s'avérer plus long mais l'expression est beaucoup plus facile à lire et à comprendre. Et une écriture efficace est une écriture aisément compréhensible, ce qui ne se réalise pas toujours avec le moins de mots possible.

On a tendance à user d'amoncellements de noms quand nous ne voulons pas que les gens croient que nous disons ce que nous sommes en train de dire! Par exemple:

Euphémismes	**Signification**
Aire démographique pour familles à revenus modestes	Taudis
Systèmes de détection d'entrée par effraction	Systèmes d'alarme
Systèmes de rapport d'échange	Prix
Modification du temps de réponse	Délai
Accroissement du revenu	Hausse d'impôt
Terminaison d'emploi	Congédiement
Réduction de la marge de profit	Perte

Modifications de l'ajustement au coût de la vie	Augmentations des prix

Et voici quelques "perles" provenant des domaines de l'immeuble et de l'automobile:

Spécial bricoleur	Maison délabrée
Maison modeste	Cabane
Atténuateurs d'impact	Pare-chocs

Verbes changés en noms

Certaines expressions débutent comme des verbes dans notre esprit puis deviennent des noms sur papier. Par exemple:

Il tend	**devient**	Il manifeste une tendance à
Nous devrions encourager	**devient**	Nous devrions offrir notre encouragement à
J'apprécie	**devient**	Permettez-moi d'exprimer mon appréciation
Considérons	**devient**	Prenons en considération

Vous trouverez des variantes avec de meilleurs équivalents, aux pages 183 et 184.

Noms changés en verbes

L'étape ultime du mauvais usage des noms, c'est la modification des noms en verbes. Il n'y a plus de mouvement; il ne reste qu'une image statique. Même les verbes perdent leur sens actif: il n'existe plus que des noms pleins de lourdeur avec une signification verbale:

nom	**"verbe"**
Automation	Automatiser
Concertation	Concerter
Effet	Effectuer
Finalité	Finaliser
Interface	Interfacer
Priorité	Prioriser
Référence	Référer, être référé
Résultat	Résulter
Solubilité	Solubiliser

La langue des affaires est truffée d'exemples semblables. Ainsi, un directeur de la recherche peut dire à son assistant: "Ne modifiez rien ici jusqu'à ce que vous l'ayez vérifié en détail." Mais il écrira sans doute:

> "Tous les aspects du problème doivent être considérés en détail avant qu'une quelconque action corrective ne soit mise en place."

Pourquoi on cède au mirage des noms

En affaires, les gens cèdent à ce mirage pour deux raisons:

• On veut donner plus de poids aux paroles. Le directeur de la recherche pense que "mise en place d'une action corrective" fait plus sérieux qu'une demande pour "colmater une fuite". En fait, la dernière demande est plus claire que l'énoncé précédent, et a donc plus de chances d'être comprise.

• On désire utiliser le moins de mots possible pour exprimer sa pensée. Nous vivons dans un monde de micro-informatique où on est obsédés par l'idée d'économie. On pense qu'en utilisant moins de mots, on économise du temps. On crée d'affreuses agglomérations de noms pour économiser un mot ou deux, et cela engendre la confusion. "Modifications d'une structure de pont" ne comprend que trois mots, mais il est plus facile de lire et de comprendre: "changements dans la structure du pont". N'oubliez pas qu'une écriture efficace est celle qu'on comprend vite — non pas celle qui utilise le moins de mots possible.

Comment remplacer les euphémismes

Si vous connaissez la cause et les symptômes de ce phénomène, vous pouvez l'éviter. Utilisez le plus de *verbes* possible, termes actifs, vivants, qui expriment ce qui est en train de se produire, non pas ce qui s'est produit. Pensez en fonction du "mouvement" et non en fonction de "portraits". Si vous tombez sur un verbe qui fait savant ou sur un regroupement de plus de deux mots, méfiez-vous. Biffez-les et écrivez plutôt ce qu'ils veulent dire en termes clairs et limpides.

9 Bannissez la voie passive

Reconnue pour être la "bête noire du rédacteur", la voie passive est particulièrement ennuyeuse, sans consistance et sans vie. En affaires, elle est omniprésente. D'après ce qu'on lit dans la plupart des mémos et des rapports, personne ne *fait* jamais quoi que ce soit en affaires. Les actes sont toujours posés par un pouvoir anonyme:

> "Il est recommandé de mettre une pompe sur l'appareil nº 9."

Qui a fait cette recommandation? Qui installera la pompe?

> "On a discuté d'une grande variété de sujets apparentés."

Qui est ce "on"?

On apprend à l'occasion l'identité de l'agent.

> "La consistance est fixée à 0,92 pour raisons de drainage."

Pourquoi ne pas écrire:

> "Des raisons de drainage obligent à une consistance..."

Pourquoi ne faut-il pas utiliser la voie passive? Premièrement, elle ralentit le flux de la phrase en raison d'un plus grand nombre de mots. Elle ralentit en outre la lecture. Dans la vie, les gens ou les circonstances forcent les événements. Marc envoie la facture à Jean. Si vous écrivez: "Jean a reçu la facture envoyée par Marc", le lecteur doit traduire mentalement par: Marc a envoyé la facture à Jean.

De plus, à la voie passive, la position des mots renverse la progression logique de l'action. Plutôt que d'avoir: Marc (le protagoniste) — a envoyé — facture — Jean, on a: Jean — a envoyé — facture — Marc. Une fausse image se présente à l'esprit avant que le message ne soit déchiffré.

La voie passive peut être terriblement déroutante. Elle suscite toutes sortes d'erreurs. On peut lire dans un texte soumis récemment à un éditeur (et retourné pour réécriture):

> "Assurez-vous qu'un gérant de projet a été désigné par le sous-contracteur qui est autorisé à parler pour et à s'engager au nom de la compagnie..."

Qui est autorisé? Le sous-contracteur ou le gérant de projet? L'auteur voulait dire:

> "Le sous-contracteur doit désigner un gérant de projet autorisé..."

Il n'y a alors aucune confusion.

Pourquoi la voie passive est inefficace

Rappelez-vous: pour rédiger un mémo efficace, vous devez vous entretenir personnellement avec le lecteur. Si vous écrivez:

"La semaine dernière, une note de service a été envoyée à tous les employés de ce service..."

L'auteur et le lecteur ont disparu. Voyez maintenant ce qui se produit quand cela devient:

"La semaine dernière, je vous ai fait parvenir une note de service..."

L'auteur et le lecteur surgissent de nouveau dans le décor.

Avec tous ses défauts, pourquoi la voie passive est-elle utilisée par une telle quantité de gens en affaires? Relisez les mémos qui se trouvent sur votre bureau ou n'importe quel rapport gouvernemental. Vous aurez de la difficulté à trouver quelqu'un qui admette qu'il fait quelque chose.

Voilà pourquoi la voie passive est si populaire. Elle est un écran de fumée. Vous pouvez vous cacher derrière. Quand vous dites qu'une note de service a été envoyée, vous ne vous en tenez pas responsable. La voie passive offre un moyen facile de rejeter votre responsabilité.

Mais en vous dissociant de vos actes, vous vous rendez anonyme. Ce n'est pas là la façon de rédiger un mémo efficace. Les ennuyeux anonymes n'atteignent jamais les hautes sphères de l'administration.

Une autre raison pour laquelle les gens aiment la voie passive, c'est qu'ils pensent, à tort, qu'elle donne une dimension imposante. Ils croient qu'en disant: "Il est de notre avis que..." ou "Un consensus a été trouvé sur...", ils confèrent une dignité aux lecteurs et à eux-mêmes.

Ils ont tort. La voie passive n'accroît aucunement la dimension des questions soulevées. Elle ressemble simplement à ce qu'elle est: une façon d'écrire pompeuse et pleine de suffisance. Le respect du lecteur pour la compagnie ne fera que s'accroître s'il lit un témoignage responsable.

"Nous sommes venus à la conclusion que ..."
"Je pense que..."

Comment éviter la voie passive

Utilisez des verbes actifs.

Servez-vous de vos mémos, lettres et rapports pour montrer ce que vous avez réalisé. Si nécessaire, prenez la responsabilité de vos erreurs. De toute façon, on trouvera le responsable, qu'il ait utilisé ou non la voie passive.

Si vous vous surprenez à dire que telle chose a été faite, reformulez la phrase et nommez la personne qui l'a accomplie. Servez-vous de la voie active toutes les fois que c'est possible. Pour plus d'explications, allez à la page 181.

Parlez avec les gens. Parlez de façon assurée, avec dignité et sans détour. Ce sont là des qualités de chef que vous devez acquérir.

10 Éliminez les mots inutiles

Les mots inutiles sont les mots qui ne remplissent pas les besoins du lecteur. Ils n'éclairent pas, n'expliquent pas, ne sont d'aucun intérêt et ne suscitent aucune attente. Ils n'ajoutent rien au plaisir et à la compréhension du lecteur. En fait, ils provoquent une réaction contraire.

Les mots suivants, qui foisonnent en affaires, en sont venus à... ne rien dire. Bannissez-les de votre vocabulaire.

Point de vue	— D'un point de vue différent: Différemment.
Champ	— Il se spécialise dans le champ des études de marché: Il se spécialise en études de marché.
Aspect	— Je ne me sens pas rassuré par l'aspect financier de l'entente: Je ne pense pas qu'ils devraient accaparer la moitié des profits.
Cas	— Au cas où des agences auraient un grand volume de courrier, des ententes particulières...: Nous accorderons une aide particulière aux

agences qui ont un grand volume de courrier.

Nature — Ce produit est de nature particulièrement délicate: Ce produit est particulièrement délicat.

Circonstances — Les circonstances ont empêché la poursuite d'une enquête approfondie sur les documents disparus: Nous avons ordonné une enquête approfondie parce que le comité suspectait une fraude.

Facteur — Le temps a constitué un facteur dans notre décision: Nous avons reporté le projet parce que le temps nous manque.

Fonctions — Il a donné un bon rendement dans ses fonctions de cadre intérimaire: Il a bien rempli son poste de cadre intérimaire.

Domaine — Il y a plusieurs ouvertures dans le domaine de la chimie industrielle: Il y a plusieurs postes disponibles en chimie industrielle.

Arrivé — Il est arrivé que nous soyons ensemble: Nous étions là ensemble.

Matière — En matière agricole: En agriculture.

Nature — Par nature, il a été catégorique: Il a été catégorique.

Question — La question est que nous avons déjà trop d'employés: Nous avons trop d'employés.

Rapport — Nous voulons votre opinion par rapport à des domaines

	possibles d'essais de marketing: Pourriez-vous nous indiquer où nous devons commencer les essais de marketing?
Situation	— En raison de la situation actuelle de l'or, nous devons attendre: La fluctuation actuelle du prix de l'or indique que nous ne devons ni acheter ni vendre.
Espèce	— Ces boîtes sont faites d'une espèce supérieure de bois: Ces boîtes sont faites d'un bois de qualité supérieure.
Variété	— D'une variété de haute qualité: De haute qualité.

En évitant ces mots, vous serez forcé de vous exprimer de façon beaucoup plus claire. Très bientôt, vous rejetterez les mots inutiles avant qu'ils n'atteignent le papier car vous exigerez de chacun qu'il soit efficace. Votre prose ne contiendra plus de termes inefficaces; chacun devra se justifier par son sens.

La redondance constitue une autre forme de perte. Les redondances sont ces expressions répétitives que l'on utilise sous le prétexte — erroné — qu'elles accroissent la portée ou la signification du message. L'auteur qui use de la redondance masque plutôt ce qu'il a à dire.

Voici quelques redondances qui n'ajoutent rien à votre message:

Si, *et seulement si*, alors, *et seulement alors*, etc.	— Si, Alors

Tout un chacun	— Chacun
Chacun *de ces*	— Chacun
Peu *d'entre eux*	— Peu
Consensus *d'opinion*	— Consensus
De sorte qu'*il résulte*	— De sorte que
Et de plus	— De plus
Mais quoi qu'il en soit	— Quoi qu'il en soit
En aucun temps	— Jamais
Particulièrement singulier	— Particulier ou singulier
Faites un effort pour essayer	— Essayez
À ce moment *dans le temps*	— Maintenant
Tirer des conclusions finales	— Conclure
Un moment d'une importance *cruciale*	— Un moment important
Les *véritables* enregistrements	— Les enregistrements
Intégrité *absolue*	— Intégrité

Dans toutes ces expressions, les mots mis en italique ne font que répéter le message contenu dans les autres.

Dans les expressions courantes qui suivent, il y a des redondances moins évidentes dans lesquelles l'adjectif reprend une notion contenue dans le nom:

Planification *préalable* (il n'existe aucun autre type de planification).

Proximité *rapprochée* (il n'existe pas de proximité lointaine).

Priorité *première* (il n'existe pas de deuxième ou de troisième priorité, en dépit des discours politiques).

Et, dans le même sens:

Produit *final*
Nécessités *importantes*
Partie *intégrale*
Coopération *commune*
Déblocage *majeur*
Nouvelles recrues
Histoire *du passé*
Expérience *pratique*
Entités *distinctes*

Pour un résumé des types de redondances, voir la page 186.

---

11 Évitez les erreurs grammaticales

Soyons sincères: la grammaire n'est pas un ensemble de règles auxquelles vous obéissez parce qu'on vous les a inculquées de force à l'école. Pour ma part, je préfère considérer la grammaire comme la façon dont les mots sont reliés les uns aux autres pour qu'ils transmettent fidèlement la pensée de l'auteur. C'est tout.

Ce ne sont pas surtout les manquements aux règles qu'il faut éviter mais les constructions qui *interrompent la communication entre l'auteur et le lecteur*.

Les propos ambigus

Si les fours électriques s'avèrent meilleurs à l'usage que les fours au gaz, ils doivent être remplacés.

Quel type de four doit être remplacé? Écrivez plutôt:

Si les fours électriques sont plus efficaces que les fours au gaz, ils devraient remplacer ces derniers.

Voici une autre phrase ambiguë:

Le service de la comptabilité a fait savoir aux laboratoires Dayton que leurs dernières données étaient incorrectes.

Les données de qui? Celles du service de la comptabilité ou celles qui ont été fournies par les laboratoires Dayton? Écrivez plutôt:

Le service de la comptabilité a fait savoir aux laboratoires Dayton que les données fournies par ces derniers étaient incorrectes.

Dans ces cas, la proposition n'était qu'ambiguë. Parfois, elle est tout simplement fausse:

Administrateur d'une grande perspicacité, il a considéré qu'elle méritait un avancement.

On affirme ici qu'*il* est un administrateur d'une grande perspicacité. Ce n'était pas ce que voulait dire l'auteur, qui aurait dû écrire:

Ayant jugé qu'elle était un administrateur d'une grande perspicacité, il a cru qu'elle méritait de l'avancement.

Les déséquilibres de structures

On doit apporter notre attention au produit, à la publicité, aux possibilités de mise en marché et au bon fonctionnement de la compagnie.

Le déséquilibre inhérent interrompt la lecture et la circulation du message. Il faudrait dire plutôt:

On doit apporter notre attention au produit, à la publicité et aux possibilités de la mise en marché. Il faut aussi avoir une organisation efficace.

Les fautes de ponctuation

Seul un puriste s'offusquera de ce que vous placiez votre point à l'extérieur plutôt qu'à l'intérieur des guillemets ou que vous mettiez ou non des virgules dans une série d'énoncés. À moins d'être sensible à ce genre de subtilités, ne vous en préoccupez pas. Ce que vous désirez, c'est transmettre votre message; et c'est en ce sens que les virgules peuvent être utiles ou nuisibles.

Voici le début d'un rapport technique:

Les appareils de nettoyage de 12 pouces, qui sont décrits dans ce rapport, fonctionnaient mal en surcharge.

Cette phrase ne rend pas la pensée de son auteur. La suite du rapport démontre au contraire que plusieurs appareils fonctionnaient parfaitement en surcharge; seuls certains ne la supportaient pas: ils font l'objet du rapport. Ce que l'auteur voulait dire, c'est:

Les appareils de nettoyage de 12 pouces qui font l'objet de ce rapport n'ont pas supporté la surcharge.

Les virgules ont desservi la pensée de l'auteur. Quand vous joignez "qui" ou "que" à une virgule, comme dans la première phrase, vous dites au lecteur: cette partie ne modifie pas le sens du reste de la phrase; autrement dit, la signification du reste de la phrase ne dépend nullement de cette partie.

Le lecteur fait donc mentalement abstraction de la partie en cause, ce qui donne:

Les appareils de nettoyage de 12 pouces fonctionnaient mal en surcharge.

Sans les virgules, cependant, la partie manquante s'avère essentielle à la compréhension du reste de la phrase. Vous ne pouvez pas les éliminer sans changer le sens de la phrase. Vous devez donc écrire tout au long.

Ne joignez des virgules au "qui" ou au "que" que lorsque la partie concernée peut être enlevée sans changer le sens du reste de la phrase.

Une mauvaise position de la virgule peut aussi être une source d'irritation et, parfois, de confusion.

Le projet semblait prêt à être approuvé, ce n'était qu'une question de temps.

Si vous voulez indiquer qu'il y a un lien plus direct entre les deux propositions, vous pouvez utiliser un point-virgule ou un tiret. Vous trouverez plus de détails dans "Les signes de liaison" à la page 107.

Le point-virgule établit un lien de base, sans insistance:

Le projet semblait prêt à être approuvé; ce n'était qu'une question de temps.

Par contre, le tiret introduit la deuxième proposition, la soulignant et suscitant une attente:

Le projet semblait prêt à être approuvé — ce n'était qu'une question de temps.

On voit là un moyen de susciter l'attente, l'intérêt dans un mémo. Il peut être très intéressant, et amusant, d'utiliser de tels procédés.

Bon. Vous vous êtes défait des pires travers: fioritures, surenchère de noms, voie passive et erreurs grammaticales. Toutefois, vous ne pouvez vous reposer sur vos lauriers. Ils peuvent toujours se représenter, comme toutes les vieilles habitudes.

Rappelez-vous que vous allez essayer de dire quelque chose à quelqu'un, de façon claire et simple. Si vous êtes décidé à faire ça, vous ne vous laisserez jamais aller à prendre des airs empruntés ou hautains, même si, à l'occasion, vous pouvez commettre une erreur. Toutefois, ne désespérez pas d'atteindre ce but. Pensez au chef d'orchestre Karl Richter. Au cours d'une répétition, Richter, exaspéré par un trombone anglais qui jouait faux, lui cria: "Arrêtez vos imbécillités deux fois ou une fois je vais y mettre fin toujours à jamais en bon Dieu!"

La formulation de Richter aurait pu être plus claire mais, d'après Lord Mancroft qui rapporte la scène, "le trombone a compris".

IV
Techniques de rédaction d'un mémo efficace

Dans l'écriture, il y a le plaisir constant de la découverte soudaine, de l'accident heureux.

H.L. Mencken

Voulez-vous que les gens pensent en bien de vous? Ne parlez pas en bien de vous-même.

Blaise Pascal

12 Première étape: pensez comme votre lecteur

Maintenant que vous vous êtes défait de vos entraves, vous pouvez passer au travail sérieux! Le programme en trois étapes que je vous propose est clair et limpide. Dès l'instant où vous vous êtes débarrassé de votre affectation, *vous pouvez mener ce travail à terme.*

Pensez comme votre lecteur. Très peu d'auteurs le font. Quand avez-vous pris quinze minutes pour comprendre votre lecteur avant de rédiger un mémo? Avez-vous jamais pris cette peine? On écrit principalement, et parfois exclusivement, pour dire quelque chose au lecteur, pour lui *communiquer* quelque chose. Rappelez-vous l'origine de ce mot: *communis*, commun. Quand nous écrivons ou parlons, nous voulons entrer en relation avec autrui à un niveau commun. Nous voulons faire comprendre notre point de vue à cette personne.

C'est beaucoup plus facile quand vous parlez à quelqu'un. Vous pouvez *voir* sa réaction. Si la personne ne vous a pas compris, vous pouvez habituellement le voir à sa physionomie. Et pour rendre votre propos plus clair, vous utilisez des gestes, des expressions du visage et même des éléments visuels.

Quand vous écrivez, vous n'avez aucun moyen de savoir si votre message sera compris. Vous devez prévoir mentalement la réaction du lecteur, en utilisant toutes les ressources de votre pensée. C'est le mieux que vous puissiez faire.

Mais personne ne fait ça! Personne sauf les auteurs qui savent écrire. La plupart des gens se fient au langage car ils croient qu'il véhicule un sens commun, ce en quoi ils ont tort.

Le langage ne véhicule pas un sens commun

Le langage tel que nous l'utilisons ne véhicule pas un sens commun. On peut utiliser un mot à mauvais escient et confondre le lecteur. Ou on peut utiliser un mot à bon escient, et toujours confondre le lecteur qui ne comprend pas sa signification.

Prenez un moment pour donner la signification des mots courants qui suivent et qu'on emploie souvent à tort. N'insistez pas trop longtemps sur chacun; ne faites qu'écrire ce qu'ils veulent dire pour vous.

Énormité
Attribué
Gratuité
Fortuit
Prototype
Aguerri
Épanchement
Transpiré

Énormité ne signifie pas *taille excessive, gratuité* ne veut pas dire *gratuit* et personne n'aurait l'idée de redresser vos *épanchements*.

Il se pourrait que vous-même ou vos lecteurs donnent à ces mots un sens qu'ils n'ont pas!

VOICI LA SIGNIFICATION DE CES MOTS

Énormité:	erreur énorme
Fortuit:	accidentel
Épanchement:	effusion
Gratuité:	désintéressement, non prévu
Aguerri:	accoutumé ou habitué
Attribué:	réparti, partagé
Prototype:	modèle original
Transpiré:	qui a été dévoilé, révélé

Si vous avez trouvé la signification des huit mots, je vous en félicite. Sinon, vous aurez appris quelque chose. Quoi qu'il en soit, vous pouvez être assuré qu'un grand nombre de vos lecteurs ne connaissent pas la signification de ces noms et de nombreux autres. Cependant, ils continuent à les utiliser à tort sans même s'en rendre compte.

Souvent, les dictionnaires contribuent davantage à la confusion. Parce qu'il y a un tel nombre de gens qui utilisent des termes à mauvais escient, de nombreux lexicographes ajoutent cet usage erroné à leurs significations. En anglais, vous pourriez dire que le Webster accepte que "hugeness", grosseur, veuille dire "enormity", énormité. Mais qu'est-ce que cette acception vous apporte à vous? Si vous utilisez le mot selon l'acception du Webster et que vous vouliez qu'il signifie *erreur énorme*, vous feriez mieux d'écrire en chinois.

Limitez-vous à la signification *habituelle* des mots de façon que votre lecteur comprenne la même chose que vous. Et, ce qui est encore mieux, servez-vous de mots dont le sens est évident: par exemple, *effusion* plutôt qu'*épanchement*.

Le langage ne constitue pas un terrain d'entente. Même des mots compris de l'auteur et du lecteur peuvent avoir un sens différent pour chacun. Si je promets de vous "faire parvenir les documents dans les plus brefs délais", on peut tous les deux se targuer de bien comprendre le sens de cette affirmation. Mais je peux vouloir dire "dans deux semaines" alors que vous comprendrez: "cet après-midi".

À mesure que vos aptitudes se développeront, vous vous servirez davantage de mots qui seront compris par le lecteur. C'est précisément ce que vous recherchez. Mais cela ne suffit pas. Rappelez-vous: *communiquer*, ce n'est pas seulement *informer*. *Communiquer*, c'est correspondre au niveau d'un terrain d'entente.

Comment correspondre avec le lecteur

Vous devez connaître votre lecteur. Avant de vous mettre à écrire, répondez par écrit aux questions suivantes. Quand ce sera devenu une habitude, vous pourrez y répondre en pensée. Si, par contre, vous y répondez tout de suite en pensée, vous n'allez faire aucun progrès.

(1) *Qui* va lire cet écrit?

(2) *Pourquoi* prendrait-il du temps pour le lire?

(3) À *quel besoin* ou à *quel problème* répond-il? Cela peut-il lui faire économiser de l'argent? Lui donner une connaissance nouvelle et profitable? L'aider dans son travail? Lui assurer une plus grande considération de la part de son patron?

(4) *Comment* cela peut-il se faire?

Quand vous répondez à ces questions, vous pensez comme votre lecteur. Cela peut paraître injuste mais les gens ne lisent pas des mémos parce que nous voulons qu'ils les lisent ou même parce que nous sommes enthousiasmés. Les gens les lisent parce qu'ils espèrent en tirer un profit quelconque.

N'est-ce pas la raison pour laquelle vous lisez ce livre? Parce que vous voulez mieux faire et mieux écrire, et non pas parce que je veux que vous le lisiez!

Donc, avant de commencer à écrire, essayez d'attirer l'attention de votre lecteur. Si cela peut se faire, répondez aux questions ci-dessus pour chacune des personnes qui liront votre mémo. La première question que nous nous posons par rapport à n'importe quel écrit, c'est: "Pourquoi devrais-je me préoccuper de cela? Qu'est-ce que cela va me rapporter? Comment?" Si vous pouvez répondre à ces questions, vous accaparerez l'*attention* de vos lecteurs. Vous aurez fait ainsi la moitié du chemin!

13 Deuxième étape: rédigez avec le côté droit du cerveau

Maintenant que vous connaissez les attentes et les besoins de vos lecteurs, vous pouvez commencer à écrire. Vous pensez comme un lecteur, de sorte que vous êtes assuré d'avoir le bon point de vue. Ayant bien en tête les réponses aux questions précédentes, commencez maintenant à écrire.

À titre de rappel, voici les questions: Qui? Pourquoi? Comment? Qui va lire ceci? Pourquoi le lirait-il? À quel besoin ou problème cela répond-il? De quelle façon?

Quand je dis: commencez à écrire, je veux dire précisément cela. Écrivez, sans vous arrêter pour changer un mot, pour raturer une phrase, pour repenser un paragraphe. Cela, c'est de la préparation. C'est la finition que vous faites subir au matériau brut. *On ne doit pas confondre la préparation avec la rédaction*.

La rédaction par rapport à la préparation

De même que l'Occident est éloigné de l'Orient, de même la rédaction devrait se distinguer de la préparation. Ce sont des activités distinctes, indépendantes, accomplies, semble-t-il, par des moitiés différentes du cerveau. Écrire, c'est mettre ses pensées en mots. Préparer un texte, c'est en raffiner le contenu.

Si vous êtes de ces gens qui disent: "Je n'aime pas écrire", vous êtes probablement injuste envers vous-même. Vous pourriez croire que vous n'aimez pas écrire parce que chaque fois que vous le faites, vous devez récrire indéfiniment votre texte. Ce travail laborieux vient de ce que les gens essaient d'écrire et de travailler leur texte en même temps. C'est d'ailleurs ce qu'on nous enseigne à l'école: corriger au fil de la rédaction. Rien ne peut être plus nuisible au déroulement du texte ou à l'inspiration de l'auteur. La partie droite du cerveau conçoit une idée et la transcrit en mots. Puis la partie gauche vient censurer le mot imparfait, et du même coup l'idée qui en est l'origine. C'est là une forme d'autocensure.

Vous pourriez ne jamais vous être adonné au plaisir exquis de l'écriture pure et simple. Remémorez-vous le brouillon d'une de vos lettres, d'un mémo ou d'un rapport récent. Y voyez-vous des phrases raturées et abandonnées, des mots biffés, modifiés, récrits? Où sont passés les embryons d'idées qui ont donné naissance à ces phrases?

Rédiger sans contraintes

Vous ne pouvez pas exprimer vos pensées clairement par écrit si vous corrigez votre écriture en même temps. Dans un excellent livre sur le sujet, *Écrire avec énergie*, Peter Elbow conseille à l'auteur de rédiger un brouillon pendant au moins dix minutes sans arrêt de façon à séparer simplement la rédaction de la révision. Lors de cette étape, on ne doit pas penser à la manière dont on écrit. On doit plutôt se préoccuper du sujet et laisser s'exprimer les pensées en toute liberté. Vous comprenez certainement pourquoi: si vos pensées sont accaparées à moitié par le travail fourni récemment par votre service et à moitié par les mots que vous utiliserez pour décrire ce fait, vous ne ferez l'un et l'autre qu'à moitié, dans le meilleur des cas.

Comment apprendre en écrivant

L'écriture a un pouvoir magique. Elle peut accroître votre conscience! Si vous écrivez sans retenue tout ce que vous connaissez d'un sujet, sans corriger, vous constaterez que vous connaissez et pouvez exprimer beaucoup plus de choses que vous ne l'aviez cru possible. C'est comme lancer une sonde au plus profond de la connaissance et de l'expérience et remonter tout ce qui s'y trouve, sans exception. Quand vous aurez maîtrisé cette première étape, vous écrirez sur des sujets qui intéresseront vos lecteurs.

Ainsi, quand vous vous proposez d'écrire, écrivez. Ne raturez aucun mot. Si vous amorcez une phrase et si vous pensez devoir la formuler différemment, formulez-la de façon différente, tout simplement. N'arrêtez pas à mi-course. Laissez vos pensées s'écouler à leur façon.

Un exercice de rédaction

Tentez le coup. Réservez-vous à ce moment même dix minutes. Sortez un bloc-notes, taillez un crayon ou prenez une plume. Choisissez ensuite un des sujets suivants:

Le profit
L'administrateur idéal
La réception d'affaires
L'emploi du temps à la maison

Notez le sujet choisi en haut de la première page. Puis, pendant dix minutes complètes, écrivez sur le sujet sans vous arrêter. Ne faites absolument aucune correction et ne reprenez rien.

Au bout de dix minutes, arrêtez-vous. Mettez la feuille de côté et essayez de ne pas la regarder jusqu'au lendemain, si vous le pouvez.

Vous serez surpris, je crois, de la longueur de votre texte, du lien logique entre vos pensées et l'énergie qui se dégage de votre écriture.

Attendez un peu! Avez-vous fait l'exercice? Pour ma part, je ne peux vous attendre plus de dix minutes. La suite du livre vous sera plus profitable si vous faites l'exercice *maintenant*.

Ce n'était pas facile, n'est-ce pas? Écrire de façon limpide, pour vous, c'est briser une très vieille habitude. On a tous été conditionnés à écrire, à raturer et à recommencer, en se traînant péniblement jusqu'au bas de la page.

Pourquoi? À mon avis, principalement parce qu'on a peur de perdre du temps. On pense que si on peut écrire et corriger *en même temps*, on économisera la moitié du temps. Corriger après avoir écrit semble une perte de temps.

Il n'y a qu'un moyen de vaincre cette peur. J'ai moi-même mis ce moyen en pratique et depuis lors, j'écris d'abord, puis je corrige. *Calculez vous-même* le temps que cela prend. Calculez le nombre de minutes qu'il vous faudra pour écrire une page à "l'ancienne manière" depuis le début jusqu'à l'étape finale de la dactylographie. Puis calculez de nouveau le temps qu'il vous faudra pour écrire de la "nouvelle manière".

Écrire de la nouvelle manière

Prenez une feuille et notez le sujet en haut. Pour bien commencer, vous pourriez écrire dans la marge, au crayon: Qui? Pourquoi? Quoi? Comment? Puis jetez un coup d'oeil à votre sujet et à vos questions, et commencez à écrire.

Écrivez tout ce qui vous vient à l'esprit sur le sujet, sans vouloir mettre de l'ordre dans vos mots et vos phrases. Efforcez-vous de ne rien modifier. (La première fois, le résultat ne vous paraîtra pas probant mais l'avenir vous confirmera l'efficacité de la méthode. Au fil des années, vous économiserez des centaines d'heures.)

Vous observerez deux changements. D'abord, après les premières pages, votre vitesse d'écriture augmentera considérablement car vous laisserez s'épanouir graduellement vos facultés créatrices.

En deuxième lieu, vous vous surprendrez à parler de sujets auxquels vous n'auriez jamais pensé auparavant. Votre main aura même de la difficulté à suivre vos pensées. Vous vous sentirez merveilleusement en forme car vous aurez laissé entière liberté à vos facultés créatrices.

Après avoir écrit tout ce que vous pouvez sur le sujet, arrêtez-vous. Calculez le temps que cela vous a pris. Puis, mettez votre travail de côté et faites autre chose. Cette étape est cruciale car elle permet à votre sens critique — qui réside dans la partie gauche du cerveau — de s'exercer avec une objectivité toute fraîche par rapport à votre *créativité*.

Maintenant, considérez ce que vous avez écrit comme si vous étiez une autre personne. Dans la peau du *critique*, vous vous sentirez différent de l'auteur, car vous vous servirez du côté gauche de votre cerveau. Dans la première phase, vous laissiez s'épanouir votre expression. Maintenant, corrigez votre texte.

14 Troisième étape: reportez-vous au côté gauche du cerveau et corrigez

La première étape vous a montré comment adopter le point de vue du lecteur. La deuxième étape vous a permis d'acquérir la liberté d'expression. La troisième étape constitue une synthèse. Vous allez maintenant *façonner* un mémo qui fera passer votre message d'une manière agréable.

La mise en forme du texte

Le terme "correction" est très mal considéré. Il évoque des tâcherons à lunettes raturant à outrance des manuscrits de leurs crayons bleus. La nouvelle façon d'écrire fait fi de cette image désuète. Grâce à elle, en effet, vous ne corrigez pas simplement d'une manière destructrice ou négative. Vous mettez de l'ordre dans votre expression de façon à communiquer avec élégance. Et cela est valorisant.

La mise en forme d'un texte est une action positive, constructive. Elle fait la différence entre une quantité de pensées informes et une bonne communication entre auteur et lecteur. Le crayon bleu devient alors un instrument de création et non de répression.

D'abord, je vous invite à vous procurer plusieurs crayons de différentes couleurs. Gardez-en un pour la correction et la mise en forme du manuscrit. Ce sera la dernière phase du travail. Les quatre autres crayons — pour ma part, j'utilise le rouge, le vert, le bleu, l'orange et le mauve — ont diverses fonctions.

Trouver l'idée principale

La première étape du travail consiste à trouver l'idée principale. Un mémo a habituellement pour but d'exprimer quelques idées sur un sujet unique, celui qui est inscrit au haut de la page. Dans un mémo dont le contenu est *unifié*, ces idées sont jointes entre elles par une idée principale.

L'*objet* du discours de Gettysburg est de rendre hommage aux soldats tombés à la bataille de Gettysburg. L'*idée principale* qui donne une unité au contenu est le désir de Lincoln de *préserver l'Union*. Ce discours peu étendu touche à de nombreux sujets: la naissance des États-Unis, les principes dont le pays se réclame, la guerre civile, le champ de bataille, la mort héroïque des soldats, le fardeau imparti aux vivants. Ces nombreux sujets sont joints avec une telle force que les mots semblent tendre vers une unique idée: *cette nation doit survivre*. Cette force de cohésion sous-tend chaque image alors que Lincoln passe du pays entier à cette guerre, de la guerre au champ de bataille, du champ de bataille aux hommes qui y perdirent la vie et finalement des soldats morts au lecteur, dernier responsable de la survie de ce pays pour lequel tant d'hommes se sont sacrifiés. L'idée principale est présente à travers tout le texte.

Notre propos procède rarement d'un dessein aussi fort et aussi urgent. Cependant, on écrit toujours pour *dire quelque chose*. Si on n'a rien à dire, il est inutile de dépenser de l'encre, du papier et le temps des gens!

Relisez votre brouillon puis fermez les yeux et tentez de répondre en une phrase à la question suivante: Qu'est-ce que je veux dire? Il pourrait vous être utile de commencer par: "Je voudrais...". Par exemple:

- Je voudrais que vous appuyiez ce nouveau projet.
- Je voudrais que notre compagnie achète cette nouvelle machine à photocopier.
- Je voudrais un meilleur service.
- Je voudrais bien comprendre le fonctionnement de cette machine.

Très souvent, vous ne trouverez l'idée principale qu'après avoir rédigé le premier brouillon. Vous devrez mettre sur papier toutes vos pensées et vos idées pour les clarifier et décider de ce que vous voulez dire. C'est pourquoi vous devez écrire en premier et corriger ensuite. Vous aurez alors de la matière à mettre en forme!

Quand vous aurez trouvé l'idée principale, vous pourrez alors discerner les idées que vous voulez exprimer. Avec une des quatre couleurs qui ne vous servent pas à corriger — je prends le mauve —, soulignez chaque phrase qui transmet cette idée principale à travers le texte. Ces phrases peuvent:

1. relever un aspect important;
2. illustrer ou souligner un aspect déjà évoqué;
3. relier un aspect ou une pensée à un (une) autre.

Répondre aux besoins du lecteur

Les lignes mauves vous indiquent les lignes de force de votre mémo. Soulignez maintenant avec les autres couleurs les phrases qui répondent aux trois questions des lecteurs. Pourquoi devrais-je lire ceci? À quels besoins personnels répond ce mémo? Comment y répond-il? Servez-vous d'une couleur différente pour chaque question.

Maintenant, regardez votre mémo multicolore. On devrait y retrouver quatre couleurs; s'il en manque une, c'est que vous n'aurez pas répondu à une question du lecteur. Répondez bien aux questions. Sous une phrase ou un paragraphe, vous pourriez avoir souligné de trois couleurs différentes; c'est très bien — du moment que vous retrouvez ces sujets au début du texte. Mais si vous n'accordez à une question qu'un paragraphe, la plupart du temps, ce n'est pas assez.

Disposez votre brouillon de façon qu'il suive la pensée du lecteur. Référez-vous à la méthode du dialogue élaborée au chapitre 2. Vous constaterez peut-être que le contenu est bien disposé, à la suite des bonnes habitudes prises lors de la première étape.

L'idéal serait que votre brouillon final soit parcouru par une ligne mauve ininterrompue et que se suivent des lignes vertes, bleues et orange.

Quand vous maîtriserez suffisamment cette technique, vous pourrez mettre de côté les crayons de couleurs; sauf le mauve, pour souligner les lignes de force, et le rouge, pour les retouches. Mais conservez-les: ils vous aideront à rédiger un prochain mémo difficile.

Une conclusion efficace

Avant de mettre vos crayons de côté, considérez la conclusion de votre mémo. Elle perdurera dans l'esprit du lecteur. C'est votre dernière chance de le convaincre d'agir selon votre volonté. Le moment est important.

Ne concluez pas tout ce que vous avez dit dans un seul paragraphe. Une telle monstruosité ne ferait que détruire la clarté et la simplicité du mémo.

Laissez plutôt le lecteur se rappeler d'*un* élément. Un seul. Il s'en souviendra alors pendant longtemps.

Vous pouvez souligner un point qui convaincra le lecteur de suivre votre suggestion:

L'achat de cette machine pourrait nous faire économiser des milliers de dollars au cours des cinq prochaines années.

Vous pourriez aussi guider votre lecteur vers l'étape suivante:

Je vous remercie d'avoir pris cette proposition en considération et j'espère pouvoir vous en parler en détail au cours de notre rencontre du lundi premier mars.

Ne donnez aucune information importante dans le dernier paragraphe. Le lecteur se demandera, avec raison, pourquoi vous ne lui avez pas donné ce renseignement au début du mémo. Et il n'appréciera pas que vous l'ayez fait attendre. Vous pouvez cependant conclure sur une intéressante note d'incitation:

Cette série de conférences a attiré jusqu'à maintenant plus de 450 employés. Si vous venez à la conférence inaugurale, le jeudi 7 mai, vous verrez pourquoi ils ont tous retardé leur départ, cinq soirs de suite.

Quand vous révisez votre mémo, gardez n'importe quel petit élément intéressant pour le dernier paragraphe: par exemple, le fait que 450 personnes ont déjà assisté à cette série de conférences. Il est toujours mieux de terminer par un élément percutant que par un murmure. Mais n'allez pas trop loin. Si aucune image frappante ne se présente, n'essayez pas d'en créer une. Ne forcez pas la note avec des mots d'esprit ou des formules inusitées: cela fera emprunté, faux, et vous rendra ridicule aux yeux du lecteur.

Donc, pour la conclusion, gardez ces trois points en tête:

(1) Montrez votre bonne foi. C'est ce dont le lecteur se souviendra.

(2) Dites une seule chose importante.

(3) Rappelez-lui *ce qu'il devrait conclure* de votre mémo ou *ce qu'il devrait faire* après l'avoir lu.

Rendre votre mémo agréable — deux listes de contrôle

Maintenant que vous avez donné forme à votre mémo, mettez-y la dernière touche. Rendez-le agréable. C'est le moment de vous servir du crayon de couleur que vous avez gardé à cette intention, en vous aidant des listes de contrôle suivantes.

Laissez tomber:

- Les *clichés:* Des expressions comme "le dernier mais non le moindre", "en dernière analyse" et "pour revenir à notre propos" sont désuètes et ont perdu leur sens originel. Trop utilisées, elles ne font plus que masquer la personnalité de l'auteur. Vous trouverez une nomenclature des pires clichés à la page 187. Évitez-les.
- Les *détails inutiles* qui distraient l'attention.
- les *explications trop longues concernant des évidences.* Méfiez-vous des phrases qui commencent par "C'est-à-dire que..." ou "En d'autres mots..." Si vous l'avez dit clairement, vous n'avez pas toujours *besoin* de le répéter en d'autres mots.

- Les qualificatifs accessoires, comme "une *forte* explosion", "un *haut* sommet", "un vide *béant*" ou "le produit *le plus singulier*".

Surveillez:

- L'accord du verbe avec le sujet: "La plupart des données prouvent (non: *prouve*) que...". "La liste des membres qui assistent aux conférences est (non: *sont*)..." (Le sujet du verbe est *liste*.)
- La ponctuation: Particulièrement les virgules qui peuvent changer la signification de la phrase: "Puis nous avons mis les biftecks dans le congélateur..." et non pas: "Puis nous avons mis les biftecks, dans le congélateur..." (À moins que vous ne vouliez dire que vous avez travaillé à de basses températures.)
- La variété de mots, des expressions, ainsi que la structure et la longueur des phrases.
- Les liens: Est-ce que vos idées sont bien reliées les unes aux autres? Pouvez-vous mieux démontrer ces liens en utilisant des conjonctions (comme *parce que, ainsi, cependant*) plutôt que deux phrases indépendantes? Plutôt que de dire: "Le conférencier a utilisé plusieurs moyens audio-visuels. Il nous a tous fait comprendre son expérience..." dites: "Grâce aux moyens audio-visuels utilisés par le conférencier, nous avons tous compris son expérience."
- L'expression intégrale: Avez-vous dit ce que vous vous étiez proposé de dire?
- La cohérence: Votre mémo a-t-il un début, un milieu et une fin? Ces parties sont-elles reliées entre elles?

Calculez maintenant le temps que cela vous a pris pour produire ce mémo, depuis le début jusqu'à la fin. Et, ce qui est beaucoup plus important, le résultat vous plaît-il?

Malgré tout, cette façon d'écrire et de corriger est agréable! Elle vous donne un sentiment d'accomplissement; vous laissez, en effet, libre cours à votre créativité et à votre sens critique. Et vous ne pouvez le faire que si vous écrivez d'abord et corrigez ensuite.

Pour tirer le maximum des deux moitiés de votre cerveau, vous devriez accorder le même temps aux deux. Donnez-vous un certain délai pour rédiger votre mémo — et soyez réaliste. Si vous n'avez qu'une heure à accorder à la rédaction, prenez une heure. Donnez-vous au moins cinq minutes pour compléter la première étape. Prenez le reste du temps pour compléter les deuxième et troisième étapes; par exemple 25 minutes pour rédiger et 25 minutes pour réviser. Il pourrait même vous rester cinq minutes pour fignoler votre texte. Mais n'essayez pas de prendre moins de temps que prévu pour la révision. Du moment que vous vous serez laissé aller à écrire de façon libre, vous n'aurez plus envie de vous arrêter. C'est très bien, mais vous devrez cependant mettre un terme à votre enthousiasme si vous voulez terminer votre mémo.

La révision, ou la correction, demande du temps et de la discipline. Êtes-vous prêt à faire les efforts requis? Votre récompense: on vous lira, et avec plaisir.

15 Le ton — votre attitude dans l'écrit

Le ton de votre texte est la verbalisation de votre attitude vis-à-vis du lecteur. C'est la façon dont vous pouvez rendre par écrit un sourire, un froncement de sourcils, une attitude arrogante ou soumise. Votre ton affecte autant vos lecteurs que les mots que vous utilisez, car il constitue un message en lui-même. Le ton peut révéler des sentiments ou des certitudes que vous pensiez ne jamais dévoiler, comme: "Je me traîne à vos pieds", "Je suis plus intelligent que vous", "Vous avez beau être mon patron mais vous êtes trop stupide pour comprendre des données techniques", "Je sais ce dont vous avez besoin mieux que vous-même" — ou à peu près n'importe quelle certitude non verbalisée. Le ton peut construire ou détruire votre mémo.

Comment identifier le ton de vos mémos

Il s'agit d'abord d'en prendre conscience. Relisez des mémos récents que vous avez fait parvenir à différentes personnes. Imaginez qu'ils aient été écrits par une autre personne que vous puis déterminez la relation de cette personne avec le destinataire. Était-ce le ton d'un ami cherchant à ressembler à un associé? Celui d'un associé cherchant à avoir l'air d'un ami? D'un client insatisfait? D'un subordonné coopératif? D'un collègue amical? Quand vous aurez déterminé le type de relation, vous saurez quel ton adopter, car le ton exprime la relation entre les individus.

Maintenant que vous avez identifié le ton de vos mémos, parcourez-les encore. Cette fois-ci, imaginez que vous soyez le destinataire. Quelle est votre réaction au ton de l'auteur? Trouvez-vous ce ton guindé? Vulgaire? Obséquieux? Somme toute, ce texte vous rend-il l'auteur sympathique et vous dispose-t-il à répondre à ses désirs?

Quand vous assumez un rôle, et par conséquent un ton, vous assumez par extension un rôle vis-à-vis de vos lecteurs. Si vous menez le jeu, ils deviennent des marionnettes et si vous faites le petit futé, ils sont les dindons de la farce.

Comment contrôler votre ton

Un mauvais ton peut embrouiller à outrance votre message. Il est cependant si simple de remédier à ce problème! En vérité, il n'y a qu'un ton qui soit approprié à tout et à tous. Ce ton, c'est celui du respect; non de la crainte, de la vénération ou de la servilité, mais celui du respect.

Qu'arrivera-t-il si vous ne respectez pas le lecteur? Si vous le considérez comme un opportuniste stupide? Tout ce que je peux vous dire, c'est que, si c'est là ce que vous pensez de lui, c'est le message qu'il recevra. Et celui-ci ne le disposera pas très bien vis-à-vis de vous.

Avant de rédiger votre texte, cherchez à trouver un aspect réellement estimable chez votre lecteur. Si vous ne lui trouvez aucune qualité, efforcez-vous de le respecter en tant qu'être humain. Faites appel à cet aspect louable de la personne.

J'ai reçu récemment une invitation à joindre les rangs d'un groupement professionnel. Les mots employés indiquaient qu'on s'intéressait à moi et exprimaient la conviction que je constituerais un apport appréciable pour le groupement. En considérant les mots seuls, j'aurais dû au moins me sentir flatté. Je fus au contraire agacé. Pourquoi? Je relus le texte onctueux et m'aperçus que, bien que les mots fussent flatteurs, le ton était insultant. Derrière les mots, l'auteur disait: "Je suis convaincu qu'en étant flatteur et en vous faisant croire à votre importance par rapport à *nous*, je peux vous faire débourser 35 $!" En dépit de son éloquence, l'auteur était condescendant par rapport à moi, le pauvre imbécile qui allait succomber à la flatterie. Je laissai tomber l'invitation sans même m'intéresser au groupement lui-même.

Si l'auteur avait été respectueux de ses lecteurs, il aurait formulé différemment son invitation. Plutôt que de les flatter, il aurait parlé des avantages qu'à son avis ils pourraient tirer de leur adhésion au groupement. Si vous avez vraiment du respect pour quelqu'un, vous ne le lui dites pas à tout bout de champ! Rappelez-vous la déclaration répétitive de Marc Antoine: "Et Brutus est un *homme honorable*".

Essayez honnêtement de respecter votre lecteur, et il vous respectera à son tour. Si vous ne pouvez le respecter, au moins traitez-le d'égal à égal. Vous devez vous rappeler que votre attitude déterminera pour une grande part sa propre réaction.

16 Le style — vous dans le texte

Le style n'est pas superflu. Le style, c'est *vous* dans le texte. Quand vous écrirez avec plus d'aisance, vous verrez votre style évoluer. Le style, c'est la personnalité qui suinte à travers les mots, autrement dit, c'est la vie des mots.

La correspondance d'affaires en est grandement dépourvue; son absence équivaut à une absence de vie. Lisez cette lettre:

> "Suite à notre conversation du 24 mai, veuillez trouver ci-joint un double du document concerné. Nous vous saurions gré de fournir des doubles du brevet dès que possible de façon à déterminer si les travaux extérieurs actuels dans le domaine sont du ressort du brevet évoqué."

L'auteur de cette lettre est sociable et plein de verve. Où cela apparaît-il dans son texte? Une *quelconque* personnalité transparaît-elle à travers cet essai de "communication"? Nullement. L'auteur s'est départi de sa personnalité au moment où il est entré dans le rôle difficile de l'*homme d'affaires*. Il a utilisé les mots qui lui semblaient bien coller à ce personnage amorphe habillé d'un complet rayé. Lui-même a disparu, de même que son style. Comme vous l'avez constaté, le résultat est désastreux.

Le style est individuel et, comme je l'ai déjà dit, vous seul pouvez trouver le vôtre. Un style agréable procède d'une technique assurée et souple. Cette technique, c'est une écriture claire et limpide. Si vous débarrassez vos écrits de toutes les faussetés et les lourdeurs qu'ils contiennent, vous atteindrez à un style étonnamment individuel et agréable.

Cinq techniques pour faire ressortir votre style

Voici cinq règles qui vous permettront de faire ressortir votre style à travers une écriture directe et limpide:

1. *Ne développez qu'une idée par phrase.* Ainsi, vos phrases seront assez courtes. Cette seule règle vous permettra de débarrasser vos phrases de toutes sortes de complexités inutiles. Voyez ce désastre:

> "De plus, étant donné qu'il est généralement vrai que plus un programme est prolongé et plus les coûts seront élevés, il est du devoir de l'administration de réduire au maximum tout délai potentiel."

Ouf! Clarifions et simplifions le tout, en ne développant qu'une idée par phrase:

> "Si vous prolongez un programme, vos coûts vont probablement augmenter. C'est pourquoi l'administration devrait s'efforcer d'éviter tout délai."

2. Utilisez des pronoms personnels (je, vous, nous, ils). Parlez au lecteur. Plutôt que de déclarer: "L'effet de ce changement peut se voir à...", écrivez: "Vous pouvez voir l'effet de ce changement dans..." Votre lecteur pourra ainsi beaucoup mieux les voir! Plutôt que de dire: "On doit reconnaître que...", essayez donc: "J'ai constaté que..." Remplacez: "Le X sert à..." par: "Nous utilisons le X pour..." Quand vous éliminez la voie passive et que vous redonnez leur place aux individus, le texte reprend vie.

3. *Rédigez d'une façon positive, non pas négative.* Pour éviter de se compromettre, de nombreux hommes d'affaires recourent à la double négation dans leurs écrits. Cette forme est confuse et superflue. En voici un exemple chargé de lourdeur et de confusion: "Les profits n'étaient pas moins que 50 pour 100 au-dessus des données projetées." L'auteur voulait dire: "Les profits étaient au moins 50 pour 100 plus élevés que les données projetées."

4. *Parlez des gens, non d'abstractions.* Il est si simple d'écrire: "Douze personnes travailleront à ce projet. Parmi celles-ci..." Cependant, j'ai lu un énoncé, dernièrement, qui disait: "La main-d'oeuvre totale requise pour le projet est de douze agents allant comme suit..." On essaie en général de traduire, en pensée, au fil de la lecture, les mots en images. Mieux nous pouvons faire ce transfert, plus efficace sera la communication. Je peux voir "douze personnes", mais il m'est impossible de visualiser la "main-d'oeuvre". Et "douze agents allant comme suit" me fait penser à quelque marche forcée.

5. *Rédigez avec clarté.* Évitez le charabia. Voici un exemple réel du type de "communication" utilisé en affaires: "FYI. PLS RSVP ASAP". Le jargon n'est pas simplement plat et exaspérant, mais aussi habituellement confus. Si vous écrivez: "Conseillez-nous, s'il vous plaît, sur les sujets précités", voulez-vous dire que vous voulez des conseils ou une décision sur *tout* ce qui précède la phrase? Que voulez-vous au juste? Si vous utilisez un langage clair et limpide, le lecteur vous comprendra et vous sera redevable de lui avoir évité de vous traduire. "Faites-nous savoir, s'il vous plaît, si cette entente vous agrée. Sinon, indiquez les changements que vous voudriez voir apporter." Voilà une formulation claire, limpide et courtoise.

17 La ponctuation — la voix derrière l'écrit

Les élèves, qui n'avaient pas travaillé, ont échoué.

Les élèves qui n'avaient pas travaillé ont échoué.

Dans le premier exemple, tous les élèves ont échoué. Dans le second, seuls ceux qui n'avaient pas travaillé ont échoué. On voit donc que la ponctuation peut changer le sens d'une phrase. La ponctuation soutient l'écriture, c'est la puissance que cachent les mots avec lesquels nous communiquons notre pensée. C'est ce qui fait tenir, ployer, reculer ou avancer un énoncé. Bien utilisée, la ponctuation prévient les ambiguïtés accidentelles. Utilisée mal à propos, elle peut modifier le sens de la phrase au point qu'elle signifiera tout autre chose que ce que vous vouliez dire.

Qu'est-ce que la ponctuation? C'est littéralement la traduction dans l'écrit des inflexions de la parole: les pauses, les insistances, l'élévation ou la baisse de tonalité dont on se sert pour véhiculer l'intention. Elle distingue les idées, clarifie la logique de l'expression et donne du dynamisme à l'écriture.

Quelle importance a-t-elle? Au chapitre 11, vous avez vu l'effet désastreux des erreurs de virgules.

Les virgules

Vous avez vu l'effet désastreux des erreurs de virgules au chapitre 2. Avec l'absence de virgules, tel que ci-dessus, cette phrase signifie: Les erreurs de virgules du chapitre 2 vous montrent leur effet désastreux. Et ce n'est certainement pas ce que je veux dire!

Bien. Une bonne ponctuation est *indissociable* d'une communication efficace. Signe de ponctuation le plus fréquent, la virgule est aussi celui qui représente le plus de difficultés; revoyons donc les règles qui vous permettront de la maîtriser.

• Ne vous servez de virgule pour introduire une subordonnée *que si* la proposition principale se suffit sans elle et n'a pas besoin d'être modifiée.

> "Le technicien, qui travaille pour les Entreprises Doyt, nous a rapidement mis au fait du problème."

Cette phrase dit: Le technicien nous a rapidement mis au fait du problème. Il travaille pour les Entreprises Doyt.

> "Le technicien qui travaille pour les Entreprises Doyt nous a rapidement mis au fait du problème."

Cette phrase dit: Le technicien particulier travaillant pour les Entreprises Doyt nous a mis au fait du problème. Elle implique que d'autres techniciens étaient présents qui n'avaient pas l'expérience de l'employé des Entreprises Doyt.

• Servez-vous de virgule pour séparer deux adjectifs ou plus *seulement si* le nom se suffit à lui-même et n'a pas besoin d'être modifié.

> "Il est un ingénieur brillant, travailleur."

Cette phrase peut se diviser comme suit: Il est un ingénieur. Il est brillant et travailleur.

"Il est un brillant ingénieur chimiste."

Essayez de diviser cette phrase: Il est un ingénieur. Il est brillant et chimiste. Non! Chimiste modifie le sens d'ingénieur. Le premier terme se joint au second pour constituer une nouvelle notion. Le terme *ingénieur* modifie obligatoirement le sens de l'adjectif *chimiste.*

En cas de doute quant à l'utilisation ou non de la virgule, retirez les adjectifs et voyez ce qu'il vous reste. Puis essayez de placer les adjectifs seuls dans une autre phrase (Il est...). Si le nom a un sens différent et que les adjectifs n'aient pas de sens en eux-mêmes, vous n'avez pas besoin de virgule.

D'après ces deux règles, vous constatez que la virgule sert aussi bien à *séparer* qu'à indiquer une pause. Une phrase dont tous les mots sont indispensables n'a pas besoin de virgules.

> Les virgules vous font mieux voir votre texte. S'il en est farci, c'est peut-être que vous en utilisez un peu trop.

Les signes d'inclusion

La virgule opère une légère séparation. Voyons maintenant les signes d'inclusion — crochets, parenthèses et guillemets.

Les crochets

Les crochets [ ] s'utilisent rarement. On ne s'en sert guère hors des documents techniques, où ils sont employés pour les citations et d'autres usages peu fréquents. Ailleurs, on les utilise habituellement pour citer à l'intérieur des parenthèses. Ils accroissent alors l'information contenue dans la phrase mais nuisent considérablement à sa cohérence et à son déroulement.

Les parenthèses

Les parenthèses ( ) enclosent:

"La procédure utilisée (employée pour le projet F-19 mais adaptée aux fins actuelles) a démontré une forte variation de la distribution moléculaire [Fig. 23]."

Voilà un autre point d'établi. La règle majeure concernant les crochets et les parenthèses est celle-ci: ils nuisent au texte; évitez-les.

Trop souvent, quand on écrit sur un sujet, une idée accessoire vient s'interposer dans le déroulement du texte. Que fait-on alors sinon la mettre entre parenthèses. Cela peut se faire à la deuxième étape de la rédaction, mais le texte final doit en être exempt. Les parenthèses révèlent une pensée incontrôlée. Elles *distraient* l'attention.

Dans l'exemple qui précède, l'idée principale est: La procédure a démontré une forte variation de la distribution moléculaire. Mais la phrase contient deux autres messages. D'une part, la procédure a été mise au point pour un autre projet et adaptée à ce projet-ci. D'autre part, le lecteur devrait aller voir la figure 23. Les parenthèses distraient l'attention et gênent la lecture.

Il n'y a pas de mal à mettre à l'occasion une référence entre parenthèses. Je préfère cependant qu'il n'y ait qu'une idée par phrase. J'ajouterais plutôt une note disant simplement: Voir la figure 23. Mais une page pleine de références est à peine lisible. Elle indique au lecteur qu'il devrait passer constamment du texte à l'illustration et du texte au tableau. Si vous avez plusieurs renvois, mettez des notes en bas de page. Le lecteur pourra de cette façon décider du moment où il se référera à la figure plutôt que d'être distrait par des invitations à s'y reporter.

Si vous arrivez à des parenthèses dans votre texte final, arrêtez-vous. Voyez si vous pouvez faire du contenu des parenthèses:

- une partie de la phrase, reliée de façon claire au message qu'elle transmet;
- une phrase distincte et complète;
- une note en bas de page.

Si aucune des trois possibilités ne convient, demandez-vous si les parenthèses sont, après tout, absolument nécessaires.

Si vous devez utiliser des parenthèses, gardez-en le contenu succinct. Et rappelez-vous que les signes de ponctuation se mettent *à l'extérieur* des parenthèses s'ils se rapportent à la phrase globale et *à l'intérieur* si le contenu des parenthèses forme une unité distincte. Ainsi:

> "Le maire (qui arborait un chapeau blanc sur lequel était plantée une plume de paon rouge!) trébucha au moment où il montait sur l'estrade."

> "Je me précipitai pour parler au maire (qui semblait sur le point de partir)."

> "Je me précipitai vers le maire au moment où il allait partir. (Il arborait toujours la plume de paon.)"

Les guillemets

Les guillemets offrent la possibilité de donner une nouvelle voix à votre texte, lui insufflant variété et couleur. Voyez la différence par rapport à la citation sans guillemets.

"Le président dit: "Il faudrait plus de gens dans notre équipe!"

"Le président dit qu'il faudrait plus de gens dans l'équipe."

Les guillemets s'utilisent pour souligner les citations aussi bien que les termes inusités:

"Il persista à appeler les interrupteurs électroniques des "machins."

Mais vous ne pouvez faire d'un terme ordinaire un mot inusité en le mettant entre guillemets! Ainsi:

"La politique que nous favorisons peut difficilement être considérée comme "extrémiste."

Les guillemets n'ajoutent rien à cette affirmation. Ils ne constituent qu'une addition agaçante et superflue et qui n'est là que parce que l'auteur voulait faire ressortir un mot ordinaire. Ils n'ajoutent rien au terme "extrémiste".

Si l'auteur veut attirer l'attention du lecteur, *il doit affirmer quelque chose qui attire l'attention*:

"La politique que nous favorisons peut difficilement être considérée comme extrémiste. Si elle n'est pas suivie, cette agence perdra sans doute ses deux plus importants clients."

Il n'est pas besoin de guillemets ici — les faits parlent eux-mêmes.

Par rapport aux guillemets, les signes de ponctuation posent des difficultés. Les règles sont claires pour tous les signes de ponctuation, sauf pour la virgule et le point. Tous les autres signes — point d'exclamation, point d'interrogation, etc. — se mettent *à l'intérieur* de la citation s'ils se rapportent à la citation et *à l'extérieur* s'ils se rapportent à la phrase environnante.

"Einstein a-t-il vraiment dit que tout était "entièrement relatif"? Non, mais on entendit Archimède crier "Eurêka!"

Les signes de liaison

Il y a un autre groupe de signes de ponctuation à maîtriser: les liaisons. Elles comprennent le point-virgule, le tiret, les deux-points, l'apostrophe et le trait d'union.

Le point-virgule et le tiret

Le point-virgule et le tiret remplacent le point et soulignent un lien étroit entre deux propositions indépendantes. Le point-virgule ne fait que souligner cette relation. Le tiret attire l'attention en interrompant le discours; il signale de façon impérieuse l'idée qui suit.

"Sur chaque échantillon est inscrit le contenu total de fibres — garantie de qualité supérieure."

Rappelez-vous que le tiret donnera fière allure à votre texte.

Les deux-points

Les deux-points équivalent simplement à une flèche. Ils signalent sans émotivité la présence de preuves, de détails ou d'explications se rapportant à une proposition. On s'en sert devant une énumération, une définition ou une longue citation. Toutes les fois que vous voudrez dire *voici*, utilisez les deux-points.

Le trait d'union

La seule difficulté avec le trait d'union, c'est de savoir l'utiliser au bon moment. Au cas où vous ne le sauriez pas, et si le dictionnaire ne peut vous venir en aide, posez-vous la question: sans le trait d'union, l'expression serait-elle confuse ou difficile à lire? Si la réponse est oui, servez-vous-en.

À partir de pensées confuses, un texte bien rédigé donne lieu à un contenu et une conclusion cohérents et logiques. Les signes d'inclusion peuvent interrompre ce processus, transformant les pensées aléatoires en messages confus. Les signes de liaison opèrent à l'opposé, établissant des liens entre les pensées.

18 L'orthographe — écrire sans faire de fautes

Les fautes d'orthographe peuvent ennuyer votre lecteur autant que la maîtresse de troisième année de jadis. J'ai lu récemment un texte dans lequel l'auteur ne cessait de dire qu'il ne voulait pas "enuyer" ses lecteurs. Tandis que le texte se déroulait devant mes yeux, j'attendais la réapparition du mot; et chaque fois qu'il réapparaissait, je devenais plus irrité. Ses fautes d'orthographe détournaient mon attention, me faisant rater le message.

Les fautes d'orthographe peuvent nuire à votre mémo. Elles dérangent le lecteur; elles le distraient et vous font considérer comme négligent ou ignare. En portant une plus grande attention au redoublement des consonnes (par exemple, "c", "m", "l"), vous pouvez donner une meilleure impression.

Voici quelques mots à l'orthographe difficile

Accommoder	— deux *c* et deux *m*
Accomplissement	— deux *c*, deux *s*
Commémorer	— deux *m* puis un autre *m*
Embarrasser	— deux *r* et deux *s*

Exigeant	— avec *e* entre *g* et *a*
Exigence	— avec *en*
Harasser	— un *r*, deux *s*
Imbécillité	— deux *l*
Joaillier	— un *i* après le groupe — ill —
Marguillier	— un *i* après le groupe — ill —
Occurrence	— deux *c*, deux *r*
Tranquillité	— deux *l*

Cette liste contient des mots difficiles que vous êtes susceptible de rencontrer. N'écrivez jamais sans avoir un dictionnaire à portée de la main. Si vous avez des doutes, vérifiez au dictionnaire. Il n'est pas mauvais non plus de faire réviser votre mémo par une ou deux personnes.

19 Les prépositions — des petits mots qui en disent long

Aussi petites soient-elles, les prépositions peuvent modifier le sens de la phrase et transmettre un message différent de celui qui était voulu au départ.

Prenons la préposition qui suit *adapté.* "Adapter pour" signifie "préparer dans un but précis".

"Le roman a été *adapté pour* la scène."

"S'adapter à" signifie "s'ajuster à certaines conditions".

"L'espèce a pu *s'adapter au* nouveau climat."

Prenons "concerné à propos de" par rapport à "concerné par". Si vous êtes concerné à propos* d'une grève, vous en êtes préoccupé. Si vous êtes concerné par celle-ci, vous faites du piquetage.

---

* Cette acception est critiquée par le Littré. (N.d.T.)

De petits mots peuvent en dire long. Si vous utilisez le mauvais mot, vous pouvez perdre vos lecteurs, ou du moins les ennuyer. Quoi qu'il en soit, la communication en souffrira.

Servez-vous de la bonne préposition et vous ne perdrez pas votre temps ou votre énergie à vous préoccuper de petits problèmes irritants tels *à, chez, pour!*

Les combinaisons qui suscitent la confusion

La liste suivante contient les combinaisons de prépositions les plus susceptibles de causer des difficultés.

Admettre au — **permettre l'accès**
Mon collègue m'a fait admettre au club.

S'entendre pour — **s'accorder avec quelqu'un**
On s'entendit enfin sur un lieu de conférence pour l'année suivante.

Comparer à — **souligner des affinités**
Le consultant compara nos méthodes avec celles qu'il avait récemment observées au Japon.

Correspondre à — **s'accorder avec, équivaloir à**
Les dimensions du modèle ne correspondent pas à celles de la machine réelle.

Correspondre avec — **échanger une correspondance**
Ce client correspond avec nous assez régulièrement.

Différer de — **être différent de**
Sa personnalité diffère de la mienne, pas ses croyances.

S'impatienter de	**se rapporte au comportement**

Je m'impatientais de son incapacité à en venir au fait.

S'impatienter contre	**réfère à une personne**

Ne vous impatientez pas contre les recrues. Elles viennent ici pour apprendre.

En son nom	**dans l'intérêt de quelqu'un**

Je me sentis obligé de parler en son nom.

Au nom de	**représenter quelqu'un**

Je me présentais au nom du Dr Wallace.

Finalement, si vous utilisez deux mots qui nécessitent des propositions différentes, comme dans l'exemple suivant:

"Les présentations audio-visuelles ont accru notre intérêt *pour* et notre attention *pendant* la conférence."

Vous devez reformuler la phrase. Cela donnera:

"Les présentations audio-visuelles nous ont fait porter une plus grande attention à la conférence et ont augmenté notre intérêt."

(Pour connaître d'autres façons de bien utiliser les prépositions, voir à la page 184.)

Si deux mots prennent la même préposition, vous avez de la chance; vous ne devez utiliser cette préposition qu'après le dernier mot:

"Il crut devoir accepter, mais non approuver leurs exigences."

Et c'est sans doute ce que vous ressentez vis-à-vis des prépositions!

20 Les métaphores: ne pas confondre

Comme la plupart des mots mal prononcés et des prépositions mal utilisées, les métaphores dont on confond le sens ennuient le lecteur, tout en l'embrouillant. Et l'irritation annule l'effet désiré.

Quand vous terminez un mémo bien tourné à l'intention du personnel par les mots: "Mettons tous la main à la pâte", il risque de ne pas comprendre. Vous pourriez cependant vous mériter un petit sourire sarcastique.

La plupart des métaphores ne sont plus que des clichés. En fait, la plupart des clichés étaient à l'origine de bonnes métaphores. Parce qu'ils étaient étonnamment efficaces, les gens les utilisèrent toutes les fois qu'ils le pouvaient. Ce faisant, ils les vidèrent de leur sens propre, de leur fraîcheur, de leur nouveauté. Les métaphores devinrent alors des lieux communs.

La plupart des "métaphores" que nous utilisons n'ont absolument plus de sens pour nous. Lequel de vos compagnons de travail a déjà pétri de la pâte? L'avez-vous fait vous-même? Quand vous vous servez de l'expression: mettre la main à la pâte, voulez-vous en fait évoquer l'image de gens disposés en rond autour d'un grand baquet de pâte qu'ils n'arrêtent pas de pétrir? L'expression renvoie pourtant à cette image. On a gardé ces expressions désuètes, sans vraiment les comprendre. *Si l'image se présentait à nous,* il serait impossible d'en confondre le sens. Mais nous ne voyons pas l'image en pensée. Par paresse, on utilise le premier lieu commun venu. Puis, pour appuyer davantage, on lui ajoute un autre lieu commun, ce qui embrouille tout à fait le sens.

Ne vous servez jamais d'expressions que vous ne comprenez pas. Si vous ne connaissez pas le sens précis d'une phrase, cherchez autre chose. Ou trouvez sa signification.

Mais ce qui est mieux — beaucoup mieux — évitez toutes les métaphores qui ne sont pas de vous, car celles-là sont probablement des lieux communs qui enflent inutilement votre message. Elles n'ont aucune fonction utile, et si vous les employez à mauvais escient, elles peuvent vous desservir aux yeux d'autrui.

Les expressions suivantes, dénuées de sens ou confondues les unes aux autres, sont apparues dans des lettres d'affaires. Si les auteurs en avaient compris le sens, ils n'auraient jamais commis ces erreurs:

> "C'est une question *muette.*" (Une question qui ne parle pas?)
>
> "Il se *lava les mains* de cette *grenouillère.*" (Jouer dans la mare aux grenouilles?)
>
> "Vous devez les convaincre de mettre la main à la pâte." (De pétrir le pain?)

Dans un article du *Washington Post* citant une déclaration du dernier conseiller aux questions scientifiques de Nixon, on peut lire:

"Les conseillers de M. Nixon étaient d'avis que les scientifiques se servaient de la science comme d'un moyen pour fourbir leurs armes en vue de se faire un capital politique."

21 Le rappel: la touche finale

Le meilleur mémo peut avoir besoin d'un rappel, particulièrement si vous demandez quelque chose que le lecteur voudrait voir retarder. Un rappel amical et succinct n'ennuiera personne — à la condition qu'il soit vraiment succinct et amical! Cela peut faire la différence entre une réponse rapide et une réponse lente à venir.

La modalité du rappel dépend de vous, de votre lecteur et du mémo. Vous pouvez rédiger une note, téléphoner, et même faire parvenir un dessin amusant à votre interlocuteur. Si vous avez fait parvenir un mémo à une personne éloignée et si vous voulez absolument qu'on se rappelle de vous, vous pouvez envoyer un télégramme.

Quel que soit le moyen utilisé, rappelez-vous que vous faites un rappel et non une mise en accusation. Si vous attendez trop pour l'envoyer, votre lecteur croira que vous lui reprochez de ne pas vous avoir répondu immédiatement. Si c'est là votre intention, passez au chapitre traitant des plaintes (pages 130 à 133). Ce type de lettres n'est pas considéré comme un rappel.

Un rappel consiste simplement en une petite tape sur l'épaule, un clin d'oeil et un sourire. Vous pourriez l'envoyer *avant* que le destinataire ait eu le temps de réagir. Bien sûr, si sa réaction est immédiate, vous n'aurez pas à lui faire de rappel!

Tout d'abord, un bon rappel est *court.* Si votre mémo est bien rédigé, vous n'aurez pas beaucoup à rajouter. Et personne n'appréciera deux rappels à propos d'un même sujet.

Ensuite, il doit être empreint de courtoisie. Le rappel est délicat. Vous offenserez le lecteur si vous lui faites porter le blâme de ne pas avoir répondu à sa demande! Votre note de rappel pourrait ne contenir que deux phrases, mais faites en sorte que la première soit humoristique, pleine de grâce ou d'appréciation pour son travail. Ne lui rappelez rien avant d'*avoir répondu à un besoin.*

Si vous connaissez peu le destinataire ou si vous n'entretenez qu'une relation d'affaires avec lui, il vaut mieux aborder directement et ouvertement le sujet. Un appel téléphonique pourrait paraître déplacé, un dessin incongru et un télégramme inconvenant. Écrivez-lui simplement que vous êtes heureux d'avoir pu lui faire part de vos idées ou rappelez-lui vos projets et dites que vous seriez heureux de pouvoir collaborer avec lui pour les mettre en pratique. N'en dites pas plus. Ne soyez pas sarcastique ou disgracieux. Et ne rédigez pas plus d'un quart de page de texte.

Si vous connaissez le lecteur, vous pouvez laisser aller votre imagination davantage. Un de mes amis lit avec grande attention les bandes dessinées de certains hebdomadaires dans lesquels il récolte des dessins dont il pourrait "avoir besoin un jour". Il les garde dans un dossier et, presque à tout coup, il en a un qui se prête au besoin du moment! En même temps que le rappel, le destinataire a le bénéfice d'un sourire et tout le monde est dans de bonnes dispositions. Pourquoi ne monteriez-vous pas vous aussi un tel dossier?

Vous pouvez faire de même avec des articles de journaux ou de revues spécialisées. Avant de rédiger votre mémo, vous pourriez voir s'il n'y aurait pas une coupure sur le sujet. Si oui, conservez-la pour un rappel à venir. Vous pourriez ajouter une ligne pour appuyer sur son à-propos et sur l'importance du sujet.

Si vous voulez plutôt téléphoner, essayez de dire quelque chose de nouveau sur le contenu du mémo — ou sur n'importe quel autre sujet. Les gens n'acceptent pas d'emblée que vous leur rappeliez leur travail. Comme pour tout autre type de communication, donnez d'abord satisfaction à votre lecteur: par exemple, un élément d'information dont il a besoin ou qui l'intéressera. Votre rappel sera écouté ensuite par des oreilles attentives.

Si, pour des raisons de stratégie, vous préférez le télégramme, faites-le court. Un télégramme ne laisse personne indifférent; vous n'aurez donc pas à vous efforcer d'accaparer l'attention du destinataire. Par conséquent, soyez très amical et très succinct: "Derniers rapports labo du projet Exutrim encourageants. Espère avoir le plaisir de collaborer avec vous pour sa réalisation." Si vous ne pouvez rien dire de nouveau, n'envoyez pas de télégramme. Les télégrammes se rapportent aux choses urgentes et importantes. Si, en décachetant l'enveloppe du télégramme, le destinataire ne lit que: "J'espère avoir le plaisir de collaborer avec vous pour réaliser Exutrim", il se sentira lésé et un peu niais. Réservez donc le télégramme pour le moment où vous aurez quelque chose de neuf à dire — ou à avancer.

Quand devrez-vous faire un rappel au destinataire? Tout simplement quand vous serez assuré que le message ou la demande exige dix autres minutes d'attention de la part de votre lecteur, déjà débordé de travail. Assurez-vous cependant qu'il profitera des dix minutes supplémentaires que vous lui enlevez. Souvenez-vous que le rappel équivaut à une petite tape sur l'épaule, non pas à un coup de poing à l'estomac. Cette tape devrait de plus susciter un sourire aussi bien qu'un signe d'acquiescement.

Voilà tout! Maintenant, vous êtes prêt à rédiger un mémo, une lettre ou un rapport des plus efficaces. Jetez un dernier coup d'oeil sur les principes permettant de rédiger un mémo efficace.

Puis, inspirez-vous de ces principes pour améliorer sur-le-champ votre vie active et votre carrière.

V
Usage complémentaire de vos dons d'écriture

La vie est tellement courte
qu'il y a toujours du temps pour la courtoisie.
Ralph Waldo Emerson

Quelle que soit la langue que vous parlez,
ce sera celle que vous entendrez.
Anonyme

22 Comment rédiger une lettre bien tournée

Comme c'était le cas du mémo efficace, l'art de bien rédiger une lettre est très simple. Vous commencez avec grâce par une déclaration établissant un climat de confiance. Puis vous allez droit au but en faisant votre demande ou en fournissant le renseignement demandé. Quand c'est possible, ayez un point de vue positif. Terminez par une remarque précise soit en remerciant le destinataire de quelque chose, soit en faisant un rappel discret.

La plupart des lettres d'affaires sont cependant ennuyeuses dès le départ. Voici quelques exemples:

MAUVAIS DÉBUT ET	BON DÉBUT
Pour faire suite à votre demande, nous vous faisons parvenir, ci-joint, le double de...	Je suis heureux de vous donner copie de...
Pour faire suite à notre conversation téléphonique de ce matin, j'ai le plaisir de vous faire parvenir...	Voici le... que je vous ai promis ce matin.

Concernant votre demande, veuillez trouver ci-joint...	Le... que vous avez demandé a été joint...
En ce qui concerne votre appel du 31 mai...	Merci de votre appel du 31 mai.
J'ai devant les yeux votre lettre du 31 mai...	Merci de votre lettre du 31 mai.
En réponse à votre lettre du 31 mai...	Merci de votre lettre du 31 mai.
J'accuse réception de votre lettre du 31 mai...	Merci de votre lettre du 31 mai.

Commencez une lettre de la même façon que vous commencez un mémo. Répondez aux besoins premiers du lecteur. Ces besoins seront différents selon la nature de votre message et de votre relation avec le correspondant. Mais si le début répond à quatre critères fondamentaux, le destinataire sera gratifié dès le départ:

1. Identifiez l'objet de votre lettre.

2. Adressez-vous directement au destinataire en disant: vous.

3. Abordez les domaines d'intérêt du destinataire.

4. Établissez un climat de confiance.

Par exemple:

"Cher...

Je suis heureux de vous annoncer le résultat des tests que vous nous avez fait parvenir le 15 mai."

Vous indiquez en l'occurrence que l'objet de la lettre est le résultat des tests. Vous vous adressez directement au lecteur avec des "je" et des "vous". Vous abordez le sujet le plus important pour lui étant donné qu'il en avait demandé le résultat. En disant que vous êtes heureux de répondre à sa demande, vous établissez immédiatement une relation de confiance.

C'est clair et net!

Voici les quatre éléments d'une lettre parfaite:

1. Annoncez d'abord la bonne nouvelle. Le destinataire sera mis dans un état d'esprit favorable.

2. Ne faites que référer à la lettre à laquelle vous répondez. Ne perdez pas de temps à la citer en détail. Il est suffisant d'écrire: "Voici les doubles que vous demandiez dans votre lettre du 19 juin. J'espère qu'ils vous seront utiles."

3. En cours de lettre, ne modifiez pas les formules de salutation ou la façon de vous adresser au destinataire. Si la lettre est adressée à M. Roland Myers, écrivez "Cher M. Myers", non: "Cher monsieur". Si vous écrivez "Cher Roland", vous devrez signer "David" et non pas "D. Parker" ou "David Parker".

4. Disposez agréablement votre texte. L'ensemble doit être harmonieux, lisible, aéré. Laissez au moins quatre espaces entre la date et l'en-tête et quatre autres entre la date et la formule de salutation. Laissez un espacement double après la formule de salutation, la signature et le dernier paragraphe. Faites un espacement double entre les paragraphes, qui devront être courts. Les paragraphes ne devront pas avoir plus de sept lignes, tout comme dans un mémo.

23 Comment rédiger une lettre de demande d'emploi

De deux personnes qui ont des qualifications identiques pour postuler un emploi, on en choisit une. Quelle est la raison de ce choix?

Si une question rend perplexe les gens d'affaires, c'est bien celle-là. "Pourquoi pas moi", direz-vous. (Si vous êtes choisi, vous ne poserez pas de questions.) On a tendance à répondre de façon à supposer toutes sortes de préjugés et de partis pris de la part de l'employeur. Mais cela ne répond pas à la question. Après tout, son sexisme et le favoritisme dont il fait preuve ne font pas partie de nos préoccupations. C'est notre malheureuse situation qui nous préoccupe. La colère peut apaiser pour un moment, mais si on ne décroche pas l'emploi, elle est inutile. Pire, elle peut nous faire perdre notre motivation, de sorte qu'il sera encore plus difficile de réussir à trouver un travail.

Pourquoi pas vous, donc? Si vous avez les aptitudes requises et la volonté de progresser, vous devriez décrocher un emploi. Si vous *n'avez pas* les aptitudes, l'expérience et un dossier bien étoffé de réalisations, il y a encore un espoir! J'ai postulé un emploi dans une grande entreprise de relations publiques. Je n'avais ni formation ni expérience dans ce domaine; j'ai cependant décroché l'emploi. Pourquoi? On m'a dit plus tard qu'une seule remarque de ma part les avait décidés à me prendre à l'essai. J'avais dit au premier vice-président: "Ce qu'il me manque en expérience, je l'ai en ardeur au travail!" Apparemment ils avaient besoin d'employés ayant de l'*ardeur au travail*, et ils étaient prêts à prendre un risque pour l'obtenir.

On revient encore aux besoins d'autrui, et à la façon dont vous pouvez les utiliser à vos propres fins; c'est là tout le secret d'un mémo efficace, qui peut vous aider à décrocher l'emploi convoité. Voyons comment.

D'abord, j'insiste sur le fait que vous ne pouvez pas vous fier au hasard. Plus vos antécédents et votre expérience seront riches, meilleures seront vos chances d'obtenir l'emploi, *car vous pourrez répondre à des besoins plus nombreux.* Avant de poursuivre la lecture, prenez une minute pour considérer votre situation actuelle. Avez-vous réellement la compétence pour cet emploi? En connaissez-vous d'autres qui ont plus à offrir que vous? Si vous embauchiez le personnel, qui choisiriez-vous? Si vous ne pensez pas être le meilleur candidat, vos chances sont bien minces, quels que soient vos efforts pour vous mettre en valeur! Vous pourriez par exemple avoir besoin d'une meilleure formation ou d'une plus grande expérience.

Mais si vous avez la compétence ou des aptitudes assez grandes pour compenser vos manques, prenez un crayon et écrivez.

Établir son propre profil professionnel

"Pourquoi pas moi?" Faites de cette importante question le sujet d'un mémo efficace: "Ils ont besoin de quoi?" *Ils*, ce sont, bien sûr, les dirigeants qui vont vous accorder l'emploi recherché. Scindez cette question en plusieurs parties. Ils ont besoin:

- **d'une personne qui peut** (déclinez vos aptitudes professionnelles ou techniques);
- **d'une personne qui a** (donnez les types d'expériences qu'il serait utile ou pratique d'avoir);
- **d'une personne qui est** (donnez les traits de caractère qu'il serait bon d'avoir pour le poste convoité).

Ne faites pas une autobiographie: vous n'êtes pas en train de vous prouver à vous-même que vous êtes extraordinaire. Comme tout à l'heure, vous essayez de répondre aux besoins de l'intéressé.

Maintenant, évaluez-vous. Qu'y a-t-il en vous, dans votre expérience, dans vos aptitudes, qui réponde à l'image du candidat idéal évoqué à l'instant? Revenez sur toutes les caractéristiques et si certains facteurs personnels que vous avez inscrits y correspondent, mettez-les dans la catégorie appropriée. Ne vous arrêtez pas avant qu'on ne puisse vous associer au moins à une catégorie. Ayez confiance; vous serez étonné de votre image favorable.

Vous venez de rédiger votre lettre de demande d'emploi. Le but de cette lettre est de montrer au destinataire que vous possédez les qualités requises. La valeur de cette démonstration dépendra de votre faculté de persuasion, du ton que vous adopterez et de votre style.

Votre lettre d'offre de service — l'art subtil de la persuasion

La persuasion est comme le bonheur: si vous en faites trop pour l'obtenir, vous ratez votre but. Une lettre persuasive est celle qui convainc le destinataire qu'il est à son avantage d'agir selon vos désirs. Plutôt que de tenter de le *persuader* de vous donner un emploi, tentez de lui démontrer, de façon précise, ce que vous pouvez faire pour lui.

Commencez par dire ce que vous avez fait précisément et qui vous désigne tout particulièrement pour le poste. Ne commencez pas par déclarer: "Je désire postuler l'emploi de..." Cette dernière déclaration ne persuadera guère votre lecteur de vous accorder une attention particulière! Relisez votre profil et trouvez-y le point le plus susceptible de répondre aux besoins de l'emploi:

> "En tant que cadre aux finances de la compagnie XYZ, j'ai triplé les commandes de deux clients principaux." (Pour un poste de gérant ayant des responsabilités financières et budgétaires.)

> "En tant que cadre aux finances de la compagnie XYZ, je rédigeais une chronique régulière sur la planification financière pour un client, la banque d'Épargne." (Pour un poste de rédacteur financier d'un quotidien.)

Après avoir captivé le lecteur par votre début, ajoutez un ou deux points susceptibles de le convaincre de votre valeur (réservez-en quelques-uns pour votre curriculum vitae!). Puis dites simplement que le poste offert vous intéresse et qu'on peut vous joindre au numéro...

Cette lettre claire et limpide intriguera le destinataire. Il en sait suffisamment sur vous pour désirer en savoir plus. Et quand vous vous présenterez à l'entrevue, on vous reconnaîtra comme "celui qui a triplé les commandes". Vos chances sont bonnes de décrocher l'emploi avant même que vous ayez commencé à parler.

24 Comment rédiger une lettre de réclamation efficace

Il serait merveilleux que la communication soit toujours un joyeux partage de besoins et que l'interlocuteur embrasse nos vues, nos recommandations et nos exigences. Hélas, la vie et les affaires ne sont pas aussi simples. Des événements nous dérangent, nous ennuient, nous forcent à dire: non.

Il s'agit, bien sûr, de savoir comment le dire.

Ce n'est pas si simple car, lorsque nous sommes exaspérés, c'est habituellement le dernier de nos soucis! Nous enrageons: "Je suis en colère et je ne peux le cacher!" C'est finalement cela que nous écrivons.

Mais il y a un hic: les lettres de colère suscitent rarement les résultats escomptés. Insulté, le destinataire répondra sur le même ton. Par principe, il pourrait décider de ne pas modifier son point de vue. Ou il pourrait se justifier avec vigueur. Il pourrait s'ensuivre un échange de lettres acerbes. Mais à moins que vous ne recherchiez les émotions fortes, vous n'atteindrez pas rapidement votre but.

Alors, que faire?

Rédiger une lettre d'insultes

Si vous me ressemblez, vous ne pouvez être à la fois en colère et raisonnable. Et vous êtes précisément en colère. Pour ma part, je ne peux commencer qu'en écrivant tout ce que je pense. Je mets rageusement une feuille dans ma machine à écrire et je laisse à ma colère et à mon exaspération toute liberté de s'exprimer. Cela me calme merveilleusement. Je dis à l'individu en cause ce que je pense de lui et de son manque de jugement. Ou je l'insulte avec un abandon total ou j'essaie d'être d'une méchanceté subtile. Je ne m'arrête que lorsque ma colère est entièrement épuisée.

Je suis maintenant prêt à rédiger ma lettre.

Cet accès de colère est-il enfantin, émotif, peu propice aux affaires, inutile? Certes la colère est enfantine et émotive! Et elle ne se prête certainement pas aux affaires. Elle semble cependant indispensable aux hommes et, tout comme le meurtre, elle "soulage". Et elle se manifeste même si on veut la contenir.

Mais le fait de laisser libre cours à ma colère l'aide à se dissiper. Je ne permets pas qu'elle agisse sur ma communication — ce qu'elle ferait si j'essayais de la contenir. Aussi surprenant que cela paraisse, quand je rédige les pires insultes qui soient, j'en retire un certain plaisir.

Je ne jette pas tous mes brouillons de lettres d'insultes. J'en garde certains pour le plaisir et d'autres pour montrer combien j'ai l'air ridicule quand je suis en colère. Lorsque je les relis, j'imagine *ma* réaction à la lecture de ces lettres. Si j'étais le destinataire, j'en enverrais une autre semblable par retour du courrier!

Je vous invite *fortement* à rédiger vos propres lettres d'insultes. Je crois Horace qui dit que "la colère est une folie de peu de durée". Et l'insanité n'a jamais donné lieu à une lettre valable.

Voici un exemple de lettre d'insultes:

Espèce d'incompétent stupide,

Premier paragraphe: épithètes blessantes et insultes.

J'ai de la difficulté à croire qu'une compagnie du calibre de XXX ait engagé un imbécile comme vous. Il y a une quantité invraisemblable de gens sans emplois et ce sont des gens comme vous qu'on embauche; cela dépasse l'entendement.

Vous souvenez-vous, espèce de tarte, que je vous ai parlé personnellement trois fois la semaine dernière? Je vous ai dit que YYY m'avait expédié, par l'intermédiaire de votre compagnie, un paquet au début de la semaine, pour livraison le lendemain. Savez-vous que les gens utilisent votre "Service de livraison exprès" précisément parce qu'ils s'attendent à ce qu'on leur livre les colis *le lendemain*? Eh bien, mon colis n'était pas encore arrivé à destination ni mercredi, ni jeudi, ni vendredi!

Vous m'aviez dit avec candeur que vous alliez y adjoindre la note: *urgent.* Je vais vous mettre une note moi aussi. La voici: urgent, espèce de péteur de broue, et je vais vous étrangler de sang-froid.

J'oubliais: j'ai reçu le colis aujourd'hui. *Ce n'était pas le bon.* Le mien contenait des documents manuscrits. Celui qui m'est parvenu contenait des pièces de ferronnerie que je vous lancerais bien à la tête.

Vous trouverez ci-joint mon colis, M. ....; faites-le parvenir aujourd'hui même par courrier prioritaire ou je vous ferai arrêter pour détournement de courrier.

Veuillez agréer, monsieur l'Incompétent, l'expression de mes sentiments distingués.

Cheryl Reimold

Des lettres d'insultes comme celle-ci sont un exutoire pour votre colère. Elles démontrent de plus la raison pour laquelle vous ne devez pas écrire à quelqu'un sous le coup de la colère. Cette raison est, tout simplement, que l'objet de la plainte se perd dans le baragouinage. Vous insultez le lecteur, qui revient à la charge, de sorte que, très bientôt, chacun se fait un point d'honneur de refuser de collaborer avec l'autre. Et quand votre colère sera apaisée, le colis sera loin.

De plus, quand vous êtes en colère, vous vous mettez à faire des affirmations assez stupides. Il est bien évident que vous ne pourrez pas faire arrêter l'homme de la compagnie de messagerie pour détournement de courrier! Et, simplement du point de vue esthétique, le fait de parler d'une quantité invraisemblable de gens sans emplois évoque l'image de milliers de nains cherchant fébrilement à se faire embaucher. La métaphore n'est ni très heureuse ni très stimulante.

Peut-être direz-vous: "Oui, je constate qu'il vaut mieux ne pas céder à la colère, mais qui a du temps à perdre à écrire une lettre qui ne sera jamais mise à la poste? Est-ce qu'il ne serait pas préférable de s'isoler et d'insulter l'individu à voix haute pendant cinq minutes?"

Non, car un brouillon d'insultes vous permet plus que d'apaiser votre colère. D'abord, il vous permet de verbaliser votre colère sur papier. Quand la colère est au paroxysme, vous n'oubliez aucun détail de ce qui vous a mis en rage. Plus tard, vous pourriez en oublier.

Ensuite, il vous permet de relativiser le problème. Quand vous vous relisez, vous revoyez l'idiot qui est à l'origine de tout ce trouble: vous. Mais vous voyez aussi l'auteur déchaîné qui confond tout et qui donne des coups dans le vide. Lentement, les deux parties se présentent sous un jour peu reluisant, puis sous un jour simplement humain.

C'est alors que vous pouvez vous asseoir et écrire une lettre efficace.

Se plaindre dans les formes: sept règles

Maintenant que votre colère est apaisée, vous pouvez en toute quiétude vous poser la question suivante: "Qu'est-ce que je veux?" La réponse ne sera plus: "Tirer cet imbécile par les oreilles!" Vous voudrez plutôt qu'on corrige le problème. Et vous vous efforcerez dans votre lettre de faire en sorte que le destinataire fasse la correction qui s'impose.

Nous revenons toujours au secret du mémo efficace. Si vous répondez aux besoins du destinataire, les vôtres seront comblés. Même si vous êtes convaincu qu'il est fourbe, peu intéressant ou idiot, les règles restent les mêmes. Communiquez avec lui, tentez de répondre à ses besoins humains et vous aurez beaucoup plus de chances pour qu'il fasse l'impossible pour vous.

Voici sept règles qui vous aideront à vous plaindre avec brio et succès!

1. Imaginez une "lettre bien tournée". Pensez que vous conversez avec la personne qui vous a fait grand tort et que cette même personne est malgré tout un être humain — à peine, mais quand même. Oubliez vos préjugés ou vos expériences malheureuses avec elle. Imaginez, pour un court moment, que cet individu s'est transformé en une personne avec laquelle vous aimeriez passer quelques heures. Prêtez-lui des qualités qu'il pourrait ou non avoir. Il ne vous en voudra pas si vous le considérez comme un être bon, honnête, gentil, sage. En fait, vous pourriez lui révéler des traits latents chez lui! Ne commencez à écrire que lorsque vous serez en mesure de visualiser un tête-à-tête amical. Cette image assurera le succès de l'entreprise. Faites votre possible pour évoquer cette image, en imaginant même la présence d'un être cher.

2. Parlez au destinataire de la même façon que vous aimeriez qu'on vous parle si *vous* aviez commis une erreur. Et on en fait tous, car on est humains. Rappelez-vous la dernière fois où vous avez été l'objet d'une plainte. Vous n'avez sans doute pas voulu commettre d'erreur. Il est probable que vous avez voulu racheter votre erreur, comme la plupart des gens.

Approchez votre lecteur avec la conviction qu'il n'a pas voulu commettre cette erreur. Même s'il "veut votre peau", vous le désarmerez en vous adressant à lui comme s'il ne s'abaissait jamais à user de procédés aussi vils.

Notez qu'au début de cette section, j'ai dit: "Parlez au destinataire". Faites-lui parvenir une lettre *parlée.* Cela signifie que vous pourriez littéralement lire votre lettre à haute voix et avoir l'air absolument naturel.

Si vous écrivez comme vous parlez naturellement (non pas quand vous prenez de grands airs!), vous éviterez les monstruosités qui enlaidissent toutes les lettres d'affaires, des expressions ampoulées et impersonnelles comme:

> Nous regrettons de vous aviser que...
> Après enquête, nous en venons à la conclusion que...
> Cette lettre est pour vous informer que...
> Nous croyons ne pas pouvoir...

Les auteurs de lettres de plaintes ont tendance à utiliser de telles formules ampoulées. Pourquoi?

Tout d'abord, ils veulent cacher leur colère derrière des formules impersonnelles. Si vous n'avez pas rédigé de brouillon, la colère est toujours présente, qui ne cherche qu'à sortir. Les phrases banales la masquent.

Bien sûr, si vous avez rédigé un brouillon d'insultes, vous vous êtes déjà ressaisi. Vous avez laissé s'épuiser votre colère. Vous pouvez maintenant écrire sans crainte, avec vos propres mots.

Mais il y a un autre mirage: nous pensons que de longues tirades impersonnelles nous donnent un air important, et même menaçant. Le monde des affaires au complet est derrière nous dans ces quelques petits clichés. Le destinataire n'oserait pas les affronter.

Il le fait cependant, car il a mille et une "lettres d'affaires" sur son bureau. Pourquoi se préoccuperait-il de la vôtre?

Essayez plutôt de lui parler. Soyez compréhensif. Cela porte des fruits.

3. Montrez au destinataire quels avantages il retirera lui-même du contenu de votre lettre. Mettez en relief l'intérêt qu'il a à agir conformément à votre volonté. Ne faites pas de menaces. Les menaces à tort et à travers affaiblissent votre argumentation et incitent le lecteur à l'affrontement. Plutôt que d'écrire: "Oubliez notre clientèle" (même si vous le dites de façon plus polie), dites qu'il vous a été agréable de faire affaire avec lui et que vous espérez placer d'autres commandes, si celles-ci sont livrées *avec célérité.* N'ayez pas peur d'ajouter une note humoristique. Il est probable que le destinataire ne soit pas le seul responsable de vos déboires. Votre ton compréhensif le rassurera. *Mais*, en lui faisant comprendre qu'il peut en sortir avec les honneurs de la guerre et qu'il peut être profitable pour lui de réparer ses torts, vous lui donnerez deux bonnes raisons de répondre à votre attente, *immédiatement.*

4. Ne soyez pas sarcastique. Le sarcasme peut vous sembler très intelligent à vous — mais être tout à fait blessant pour la victime. Le sarcasme, c'est l'ironie motivée par le mépris. Il s'inspire du mot grec *sarkos*: "mordre la chair". Et c'est précisément à cela que renvoie *sarcasme.* Il ne peut vous être profitable.

Observez ces deux requêtes:

> "J'apprécierais que vous me téléphoniez à ce sujet avant la fin de la semaine — si, bien sûr, votre horaire chargé de déjeuners d'affaires et de rendez-vous au terrain de golf vous en laisse le temps."

> "Pourriez-vous me téléphoner cette semaine afin que nous discutions de ce problème? Je suis certain que nous pourrons trouver une solution simple et efficace."

Laquelle de ces demandes vous inciterait à prendre le téléphone?

5. Décrivez en détail le problème. Aussi surprenant que cela soit, vous pouvez en être en partie responsable! Par exemple, vos indications peuvent n'avoir pas été claires. Certains détails importants peuvent avoir été omis. Un jour, j'étais littéralement furieux contre un agent de voyage — à mon avis incompétent — qui m'avait fait rater un vol important. Je lui avais indiqué ma destination précise et l'heure de mon départ. À mon arrivée à l'aéroport, il n'y avait pas d'avion. Il y avait pourtant un vol à cette heure pour ma destination à l'autre bout de la ville. Je n'avais pas le temps de m'y rendre et je ratai l'avion. Je fis parvenir une lettre d'insultes à l'agent de voyage. Pourquoi ne m'avait-il pas dit le nom de l'aéroport où je devais me rendre? Sa réponse: "Vous ne me l'avez pas demandé. Je pensais que vous le saviez."

Peut-être, en effet, aurait-il pu me le dire. Mais là n'est pas la question. Si j'avais pensé à demander à *quel* aéroport je devais me rendre, il n'y aurait pas eu de problème.

Ainsi, pour éviter toute erreur d'interprétation, assurez-vous d'expliquer en détail vos demandes. Cependant, ne vous adressez pas à votre interlocuteur comme à un enfant mais pensez qu'il n'ira pas plus loin que votre lettre pour trouver des détails sur l'erreur commise. Donnez donc des explications détaillées.

6. Dans la mesure du possible, laissez un choix au destinataire. Il pourrait lui être impossible de répondre à votre demande et ce, bien qu'il soit responsable. Quelle que soit votre colère, cela ne changera pas la situation. Rappelez-vous que vous voulez *réparation* et non pas marquer des points. Si le destinataire n'a pas été capable de comprendre et de vous répondre durant le mois, reconnaissez ce fait. Vous n'y pouvez rien. Offrez-lui le choix de vous répondre à moitié immédiatement et de vous donner un complément d'information dans un mois. Après tout, cela vaut mieux que rien du tout! Et en montrant de la compréhension, vous l'aurez encouragé à répondre.

7. Soyez poli, calme, mais ferme. Un ton calme marque l'autorité: la vôtre. La courtoisie est indispensable à toute communication qui se respecte. L'insulte répond à l'insulte. Ne confondez pas cependant la courtoisie avec l'atermoiement. Le destinataire doit comprendre que vous êtes sensible au problème qu'il doit résoudre et que vous placerez peut-être d'autres commandes s'il vous donne satisfaction. Mais il doit aussi comprendre que vous n'allez pas accepter béatement qu'il ne fasse rien. Décidez de l'attitude à prendre s'il ne répond pas à votre demande. Assurez-vous d'être en mesure de faire la démarche à laquelle vous songez (il vous serait sans doute agréable de le voir croupir au fond d'une prison iranienne, mais cela n'est sans doute pas en votre pouvoir). Vous pouvez ou non lui dire la nature du recours que vous entendez prendre. Si vous êtes décidé d'agir avant une certaine date, faites-lui-en part. Dans le cas contraire cependant, il suffit que *vous* sachiez que vous allez exercer un recours. De toute façon, votre résolution ne va pas passer inaperçue.

Voici sept règles à observer

1. Rédigez une lettre polie.
2. Adressez-vous au destinataire de la façon dont vous aimeriez qu'on s'adresse à vous.
3. Faites voir au destinataire l'avantage qu'il en retirera lui-même.
4. Ne soyez pas sarcastique.
5. Décrivez le problème en détail.
6. Dans la mesure du possible, donnez un choix au destinataire.
7. Soyez poli, calme, mais ferme.

Mettre les règles en pratique

Mettons maintenant ces règles en pratique et faisons d'une lettre horripilante un message agréable et personnel qui donne des résultats.

Voici la lettre originale:

Le 18 janvier 1985

M. Paul Létourneau
Banque ______________
35, avenue des Pins
Montréal

Cher M. Létourneau,

Cette lettre fait suite à la récente facture Master Card portée à mon compte en date du 15 janvier.

Je constate avec grand étonnement que vous n'avez pas corrigé la situation dont je vous ai fait part. Bien que le montant de cette facture ait été retiré de mon compte, on n'a pas annulé les intérêts.

Je vous saurais gré de corriger cette situation dès que possible.

Veuillez agréer, cher Monsieur, l'expression de mes sentiments distingués.

Jean Lacasse

Il ne manque à cette lettre que l'impolitesse. Elle est impersonnelle, abstraite et, par-dessus tout, d'une désolante ambiguïté. L'envoyeur ne dit pas quelle facture a été portée à son compte. Il ne nomme pas l'article en cause. Il ne donne pas la date. À l'issue de la lettre, on ne sait toujours pas pour quelle raison on lui a exigé des intérêts, quels sont les frais rajustés ou s'il y a un lien entre les intérêts et l'erreur de la banque. Finalement, après ces propos peu amènes, Jean Lacasse devient tout miel. La seule raison qu'aurait le destinataire de répondre aux demandes de M. Lacasse serait de gagner sa gratitude. Mais cette lettre ne l'incitera sûrement pas à le faire.

Le ton de la lettre est éminemment faux. Il transcrit en gros l'état d'esprit suivant: "Je dois maintenant écrire à cet imbécile qui m'a bousillé mon compte Master Card. Et je n'ai pas le temps de fouiller dans mes dossiers pour trouver tous les détails. Je vais lui laisser les trouver; après tout, c'est lui qui a commis l'erreur. Ça lui apprendra. Il faut que je me débarrasse rapidement de ce problème pour retourner à mon travail."

En tant qu'observateurs, on peut comprendre les sentiments de M. Lacasse. Et on les partagerait sans doute si on était à sa place. Mais notre sympathie et l'indignation de Lacasse *ne régleront pas le problème*: un état de compte rajusté et une annulation des intérêts qui lui ont été demandés.

Mettons-nous à la place de Jean Lacasse et rédigeons une lettre qui donnera des résultats.

D'abord, les injures:

Cher petit futé de Létourneau,

Des gens comme vous me donnent la migraine. Je devrai peut-être dépenser mon salaire durement gagné chez le médecin et ce, à cause de votre stupidité crasse. Pourtant, il n'y aurait qu'à se débarrasser de gens comme vous. Ne vous en faites pas, mon médecin a une carte de crédit Master Card.

Il est difficile de concevoir que quelqu'un puisse commettre une telle erreur. Je me réfère aux erreurs farfelues de votre ordinateur à mon égard. Je ne vais pas soulever de nouveau le problème. Vous m'avez fait perdre assez de temps comme ça. Traînez-vous donc jusqu'à votre classeur et retirez-en le dossier "Lacasse, J." — si, bien sûr, vous pouvez lire. J'exige que vous corrigiez l'erreur et que vous me fassiez des excuses, petit imbécile. Si vous ne le faites pas, le président aura de *mes* nouvelles et vous n'en sortirez pas avec toutes vos plumes, je vous en fiche mon billet. Par ailleurs, je vais vous retirer ma clientèle et je vais inviter mes amis nombreux et influents à faire de même.

Je vous recommande fortement de vous grouiller et vous prie d'agréer mes sentiments distingués.

Jean Lacasse

Fort bien. L'effet est vivifiant, la colère est tombée et on peut maintenant aborder la rédaction de la lettre.

Étape 1: Imaginez une lettre bien tournée. Prenez place dans un fauteuil confortable en compagnie du M. Létourneau en question. Tracez-en un portrait avantageux. Imaginez qu'il est empressé mais peut-être un peu étourdi.

Nerveux, Paul Létourneau est assis sur le bord de sa chaise, prêt à essuyer des réprimandes et à se défendre. Vous lui souriez plutôt et pensez qu'il pourrait bien être une personne gentille.

Étape 2: Adressez-vous à lui de la façon dont vous voudriez qu'il s'adresse à vous si vous étiez à sa place. Plutôt que de l'attaquer, commencez par le flatter. La banque qu'il représente doit avoir du bon puisque vous avez choisi sa carte de crédit. Au début de la conversation, vous pouvez combiner les deuxième et troisième étapes. Mettez Létourneau à l'aise et traitez-le avec respect (étape 2); montrez-lui en outre quel profit il peut en tirer. Par exemple:

"Je dois vous avouer ma satisfaction d'avoir pris ma carte Master Card de la banque .... Vos tarifs sont toujours les plus bas et je suis ravi d'apprendre que vous avez haussé ma marge de crédit à 3 000 $.

Paul Létourneau n'a déjà plus la même attitude. Il se détend et n'a plus hâte d'en finir. Il est en attente. S'il agit de la bonne façon, il pourrait même réparer son erreur.

C'est le moment de passer aux quatrième et cinquième étapes. Sans sarcasme, décrivez le problème en détail. Oubliez ce que vous lui avez dit auparavant. Dites-lui ce qui ne va pas dans le présent.

> "Il me fait plaisir de constater que vous avez annulé le montant du billet de Eastern Airlines, porté à mon compte 754-82-9503 en date du 15 octobre 1984. Comme je vous l'ai dit, j'ai annulé ce voyage et demandé qu'on me crédite le montant sur ma carte Master Card. Cependant, mes états de compte de novembre et décembre 1984 indiquent toujours des frais de 881,72 $. Entre-temps, les intérêts continuent à s'accumuler. Ce sont ceux-ci qui me tracassent maintenant, car on ne les a pas annulés. Tout au contraire: ils se chiffrent à 59,68 $."

Dites-lui maintenant quoi faire. Dans la mesure du possible, laissez-lui un choix (étape 6).

> "Comme vous le pensez bien, j'aimerais qu'on annule ces intérêts le plus rapidement possible. J'apprécierais beaucoup que vous me fassiez parvenir une lettre confirmant que ces intérêts ont été annulés.
>
> Si cela s'avérait impossible, pourriez-vous vous assurer qu'ils le seront dans mon prochain état de compte? J'apprécierais cependant que vous me fassiez parvenir une confirmation écrite."

Maintenant, le dernier paragraphe — soyez poli, calme mais ferme (étape 7).

> "Je sais que dans des compagnies de l'envergure de la vôtre, des erreurs peuvent se glisser. Mais je suis sûr de pouvoir compter sur une action prompte de votre part. J'espère donc recevoir bientôt de vos nouvelles."

Voilà votre lettre terminée. Vous vous êtes d'abord adressé à M. Létourneau et avez répondu à son attente. Vous avez vanté sa banque et lui avez fait savoir, par votre ton, que vous continueriez à lui accorder votre clientèle s'il agissait correctement à votre égard. Puis vous lui avez décrit simplement et clairement le problème, et sollicité son aide. Cette lettre ne va ni le mettre en rage ni le dérouter. Il s'empressera de faire tout en son pouvoir pour garder votre confiance et votre clientèle.

Si vous suivez cette méthode, vous n'aurez plus de lettre "difficile" à rédiger. Imaginons que vous deviez rédiger une délicate lettre de refus; ou une demande financière; ou même une lettre où vous défendez votre propre position impopulaire sur une question. Rappelez-vous simplement que vous devez vous asseoir (en pensée) avec le destinataire et lui adresser la parole en tant que collègue plutôt qu'adversaire. Adressez-vous à lui comme si vous étiez *tous deux* des êtres humains intelligents et bienveillants qui désirent résoudre un problème.

Commencez votre propos, et votre lettre, en abordant les caractères communs qui vous unissent. Dites quelque chose de positif. Faites-lui sentir que la communication progresse plutôt qu'elle ne régresse, et que vous avez confiance en lui.

Puis, décrivez le problème en détail. N'adoptez pas un ton mielleux, insinuant, menaçant ou sarcastique. Vous devinez le mensonge et il en est de même du destinataire.

Pour terminer, dites de façon polie mais ferme ce que vous avez l'intention de faire.

Dans cette lettre, vous aurez répondu au moins à deux besoins fondamentaux de votre interlocuteur. Vous lui aurez montré du respect. Et vous lui aurez donné les éléments de connaissance précis et exhaustifs dont il a besoin pour agir. Aucun autre malentendu ne viendra s'ajouter à celui que vous voulez résoudre.

Quelques points à ne pas oublier

Quand vous rédigez une lettre de réclamation, rappelez-vous ceci:

- Vous rédigez une lettre de réclamation pour *résoudre un problème*, non pas pour lancer des accusations et des insultes.
- Des lettres écrites sous le coup de la colère *masquent l'objet de la plainte.* L'envoyeur est tellement absorbé par l'objet de sa colère et le destinataire par le ressentiment qu'ils oublient tous deux la raison première de la plainte.
- Les menaces vides de sens retomberont sur vous. Si vous n'êtes pas capable de mettre vos menaces à exécution, elles se retourneront contre vous et *vous* aurez l'air ridicule.
- Le sarcasme blesse. Rappelez-vous les paroles de Jonathan Swift: "Quiconque a perdu son calme est dépossédé de son âme. Les hommes ne doivent pas devenir des abeilles qui se tuent elles-mêmes en blessant autrui."

Que faire si vous n'avez toujours pas de réponse

Et si votre lettre polie n'apporte aucune réponse valable? Si Paul Létourneau est en fait le neveu du président et qu'il n'ait que faire des intérêts croissants ajoutés à votre compte.

S'il ne réagit pas immédiatement, faites-lui parvenir un double de votre lettre pour lui rafraîchir la mémoire. Mais si un autre mois passe et que votre marge de crédit soit en train de s'effriter, vous devrez agir différemment.

Deux options s'offrent à vous. Prévenez Paul Létourneau que vous allez faire parvenir une lettre au président de la banque et/ou à l'Office de la protection du consommateur. Ou faites parvenir une lettre au président et envoyez un double à Létourneau.

Quelle que soit votre conduite, laissez tomber l'émotivité. Exposez la question de façon claire et simple.

Si vous lui laissez une dernière chance de réparer son erreur, écrivez simplement:

> Cher M. Létourneau,
>
> Les intérêts à payer de mon compte 754-82-9503 n'ont pas été annulés. Je vous ai écrit à plusieurs reprises à ce sujet mais vous n'avez pas corrigé l'erreur. Les frais se chiffrent maintenant à 101 $.
>
> Je devrai faire part de cette question à votre président. À moins d'avoir de vos nouvelles avant la fin de la semaine, je devrai lui faire part de votre incompétence et lui demander réparation. Si je ne reçois aucune réponse de vous par retour du courrier, j'écrirai à l'Office de la protection du consommateur pour informer cet organisme de vos pratiques douteuses ainsi que de celles de votre banque.
>
> Salutations,
> Jean Lacasse

Je n'ai jamais dû rédiger ce dernier type de lettre. La clarté, la politesse et la bienveillance m'ont été payées de retour dans toutes mes transactions.

25 Comment — et quand — demander une augmentation de salaire

Si votre emploi vous pèse et que vous vouliez une augmentation de salaire ou de l'avancement, deux options s'offrent à vous. D'abord, vous pouvez attendre et espérer. Deuxièmement, vous pouvez en faire part à votre patron.

Si vous n'agissez pas, vous mettez votre sort entre les mains du patron. Si vous lui faites part de vos demandes, vous vous donnez une chance de vous montrer sous un jour avantageux.

Vous faire valoir

Avant d'entrer dans le bureau du patron, rappelez-vous le secret d'un mémo efficace. Répondez au besoin de quelqu'un et il est fort probable qu'il répondra au vôtre.

N'allez donc pas dire au patron que vous méritez de l'avancement. C'est là *votre* besoin. Dites-lui que vous avez des idées sur des projets intéressants. Décrivez-les. Demandez-lui si vous pouvez lui faire parvenir un mémo à ce sujet, si, bien sûr, il ne vous l'a pas déjà demandé.

Avant de rédiger le mémo, arrêtez-vous de nouveau. Vous connaissez le patron. Appréciera-t-il que vous lui disiez pourquoi vous devriez être promu? Si non, ne le faites pas. Décrivez vos idées en vous servant des techniques de rédaction d'un mémo efficace. Décrivez-lui la façon dont vous les mettriez en pratique. Sans plus. Il sera content, intéressé, impressionné. Et c'est fort bien ainsi.

Mais si vous croyez que le patron est prêt à entendre vos raisons, poursuivez la lecture.

Mettre votre demande par écrit

Pour rédiger ce mémo, prenez votre temps. Rédigez un dialogue imaginaire avec votre patron (voir le chapitre 2). Servez-vous-en pour compléter l'étape 1 de la technique proposée. Puis, avant de passer aux deuxième et troisième étapes, préparez le profil suggéré au début du chapitre 23. Encerclez toute réalisation récente de votre part qui puisse renseigner le patron sur vos capacités nouvelles: par exemple quelques nouvelles données ou une lettre de félicitations. Peut-être avez-vous franchi une étape importante d'un projet qui vous tient à coeur. Dans la première phrase, essayez de rappeler au patron quelque trait ou réalisation vous caractérisant, quelque chose qui répond à un de ses besoins. Rappelez-vous: la première technique de persuasion consiste à montrer au destinataire ce que vous pouvez faire, et ce que vous faites effectivement pour lui.

Après avoir complété cette première phrase, passez à l'étape 2. Décrivez tout ce qu'il y a d'intéressant, dans vos activités passées, pour le destinataire. Décrivez vos activités et vos projets futurs. À l'étape 3, vous pourrez décrire le lien commun existant entre toutes ces activités et qui démontre votre grande valeur au sein de la compagnie.

La puissance de l'enthousiasme

À l'étape 3, vous rédigerez un mémo qui vous décrit à travers votre travail. Faites jouer la technique de persuasion suivante: *l'enthousiasme.* Les gens qui parlent avec enthousiasme de ce qu'ils font captivent l'interlocuteur qui, sans cela, ne se serait jamais arrêté au sujet. Sans enthousiasme, l'interlocuteur n'est pas captivé. Je me souviens d'un directeur de projet qui décrivait son travail à des cadres en marmonnant. Il ne manquait pas un détail et les étapes étaient bien décrites. À un moment donné, le directeur leva les yeux et regardant l'auditoire, il dit: "Ce projet est vraiment très intéressant!" À ce moment, un vice-président exaspéré grogna: "Pour l'amour du ciel, mon ami, montrez donc de l'enthousiasme!"

Montrez de l'enthousiasme pour votre travail. Établissez l'importance de votre travail pour vous et la compagnie. Votre mémo devrait dire fièrement en trois ou quatre paragraphes: Voilà ce que j'ai fait; voici mes projets et voici ce que je fais pour les mettre en pratique.

Décrire vos besoins

Au dernier paragraphe, affirmez honnêtement au destinataire que vous êtes prêt à prendre plus de responsabilités. Ajoutez que vous espérez que certaines de vos réalisations témoigneront de vos capacités et de votre imagination. Si le poste qui vous intéresse porte un nom, indiquez-le. Si vous croyez que le poste que vous convoitez mérite une hausse de salaire de 4 000 $ par année, donnez le chiffre. Le destinataire pourra différer d'opinion, mais il respectera et appréciera votre honnêteté. Sachant précisément la nature de votre demande, il sera plus ouvert à la négociation.

Les trois techniques de persuasion seront utilisées l'une après l'autre dans votre mémo final. D'abord, vous intéressez le lecteur en lui montrant que vous possédez les éléments qu'il recherche. Puis, vous accentuez son intérêt pour vous et vos projets en truffant votre rapport de propos enthousiastes sur le travail et la compagnie. Ensuite, vous gagnez son respect en lui décrivant honnêtement et sans détour vos propres besoins. Terminez par une phrase simple lui demandant un rendez-vous au moment qui lui conviendra. Vous devrez, bien sûr, vous assurer que votre ton est correct, votre style agréable et la présentation parfaite et claire.

Faites une dernière vérification du mémo. Le ton dit-il: "Je vous respecte"? La langue est-elle limpide? Pouvez-vous discerner l'amorce d'un style personnel?

À la bonne heure! Vous avez fait d'une démarche difficile un mémo intéressant et agréable. Très bientôt, ce mémo, ou un autre semblable, vous méritera un nouveau poste ou une augmentation de salaire.

26 Comment rédiger un mémo technique

Comment intéresser le patron à votre projet de recherche en laboratoire? Si vous m'avez lu jusqu'ici, vous savez déjà quoi faire. *Montrez-lui comment ce projet répond à ses besoins.* Transmettez-lui votre enthousiasme sincère. Le phénomène est très contagieux.

C'est par le biais du mémo ou rapport technique que vous tenez le patron informé de vos réalisations techniques. Le rapport peut avoir l'air plus compliqué mais c'est en fait un simple mémo technique plus détaillé et exhaustif. Ce qui leur est commun à tous deux, et ce qui nous concerne ici, c'est la traduction particulière que vous devez faire. Vous devez traduire des données techniques abstruses en français clair. Pour accomplir cette opération efficacement — et vous allez le faire — vous devez débarrasser votre esprit de certains obstacles courants.

Les pièges techniques

Obstacle numéro 1. *Il y a un type particulier de rédaction qui s'appelle la "rédaction technique". C'est ce que je dois utiliser pour mon rapport. Erreur!*

Vous écrivez à des gens qui lisent le français et non pas à des machines programmées pour "lire" une langue particulière. Les cadres supérieurs qui liront votre rapport peuvent n'avoir aucune formation ou expérience technique. Votre travail consiste à leur expliquer en langage clair ce que vous faites et pourquoi ce travail est important pour eux.

Obstacle numéro 2. *Vous rédigez un mémo ou rapport technique pour informer vos supérieurs de l'état de vos travaux.* Erreur! En affaires, vous n'écrivez *jamais* dans le seul but d'informer les gens. Vous les entretenez d'abord de ce qu'*ils* veulent savoir. Il ne suffit pas de rendre compte de faits. Vous devez expliquer la signification des faits aux destinataires. Par exemple, il ne suffit pas d'écrire:

> "La pression sur le câble était de 50 lb par pouce carré."

Vous devez dire au lecteur de quelle façon ce facteur affecte le succès ou la réalisation de votre projet:

> "La pression sur le câble était de 50 lb par pouce carré — ce qui était suffisant pour mettre à l'épreuve le nouveau matériau. Le câble a tenu."

Avec ou sans connaissance technique, le lecteur sait maintenant *pourquoi* cette pression a été exercée (pour vérifier l'élasticité du nouveau matériau) et il connaît la signification de cette partie de l'essai ("le câble a tenu"). Vous avez dit au cadre ce qu'il veut savoir, c'est-à-dire si la compagnie devrait investir de l'argent dans ce nouveau matériau.

Obstacle numéro 3. *Un mémo ou rapport technique fait partie de la routine — une tâche qu'il faut accomplir par obligation.* Erreur. Grave erreur. Ce rapport n'est rien moins que vous et votre travail transcrits sur papier. C'est souvent la seule chance que vous avez de dire aux cadres supérieurs ce que vous faites, ce que vous avez fait et pourquoi votre travail est important. Rappelez-vous que ce que vous fabriquez ou découvrez dans le secret du laboratoire ou du bureau ne servira à rien si vous ne pouvez l'expliquer à ceux qui vous payent pour créer ou découvrir quelque chose.

Bien. Le rapport ou mémo technique est crucial pour vous et votre carrière. Voyons comment le rédiger.

La recherche d'une élégante simplicité — quatre étapes

1. *Simplifiez.* C'est là la première règle à suivre pour traduire la langue technique en langage clair. Des faits complexes *peuvent* être exposés de façon simple. Si vous hochez la tête en murmurant: "Vous ne connaissez pas le sujet que je dois décrire!" lisez plutôt ce que dit Isaac Newton dans *Les Lois du mouvement*:

> "Le changement du mouvement est proportionnel à la force motrice imprimée... À toute action s'oppose toujours une réaction correspondante..."

Chacune des lois de l'univers est résumée dans une phrase simple et compréhensible. Mais si Newton s'était laissé aller au verbiage technique de notre époque, il aurait écrit quelque chose qui ressemblerait à ceci:

> "En ce qui concerne les corps en mouvement, une modification de l'élément kinésique est directement proportionnelle à la mesure ou à l'amplitude de la force exercée sur le corps en mouvement."

Comparons la description limpide des lois du mouvement par le grand scientifique avec la description "technique" d'une thérapie de groupe parue dans une publication récente:

> "Consécutivement à l'interaction verbale des participants, la compréhension collective se développe et à son tour stimule l'expression plus prononcée de réactions coïndividuelles de même étendue que le nouveau comportement du groupe..."

Simplifiez votre pensée. Puis, au moment où vous pouvez penser de façon limpide, décrivez dans un langage clair et simple les théories ou les événements concernés. Vos propos n'auront pas besoin alors de révision.

2. *Décrivez le processus étape par étape.* Une compagnie de relations publiques de New York demande aux aspirants rédacteurs de rédiger un communiqué de presse ayant comme sujet des pinces! Les candidats doivent imaginer que ces pinces viennent d'être inventées. Ils sont tenus de rédiger un communiqué de presse expliquant le fonctionnement de l'outil et comment il profitera au lecteur. Ils doivent en outre intéresser le lecteur tout au long du communiqué.

C'est là un excellent exercice pour vous préparer à rédiger un mémo ou un rapport technique. Faites cet exercice pendant une heure ce soir. Ne faites que décrire, étape par étape, le fonctionnement de cet outil simple. Rappelez-vous que vous voulez intéresser autant qu'informer. Imaginez donc la figure du lecteur et déterminez comment il sera intéressé, lui, par des pinces. Abordez ce sujet d'abord. Quand vous aurez piqué sa curiosité, il vous accordera son attention.

Par exemple, imaginons que votre lecteur soit le président de votre compagnie. Vous voulez lui expliquer pourquoi la compagnie devrait se lancer dans la fabrication de ce nouvel outil. La première question du président sera sans doute: Pourquoi les gens s'en serviraient-ils? Par conséquent, commencez par dire:

"Un nouvel instrument, appelé *pinces*, permet à quiconque ayant une certaine force de plier un fil, de maintenir en place ou de tourner de petits objets, tels que des clous. Les pinces aideront des millions de gens à faire de petites réparations en un tour de poignet."

Vous avez piqué la curiosité du lecteur. Maintenant, faites-lui *voir* l'instrument et la façon dont il fonctionne.

Décrivez-le de façon qu'il puisse bien le comprendre. Commencez par comparer cet outil inédit à quelque chose de familier, peut-être à des pincettes et des ciseaux. Puis, décrivez le fonctionnement étape par étape. Votre but est de familiariser tout à fait le lecteur avec un sujet qu'il ignore complètement. Il faut donc utiliser des termes simples. Ne mettez qu'une seule idée par phrase. Maintenez la structure des phrases aussi simple que possible.

"Les pinces ressemblent à une paire de ciseaux. Elles comprennent deux pièces de métal en forme de "S". Elles s'opposent et sont assujetties l'une à l'autre par une vis. Le "S" n'est pas de forme régulière. Le manche est environ trois fois plus long que l'extrémité. Et les deux pièces sont conçues de telle façon que les extrémités se rejoignent quand elles sont refermées, à la différence des ciseaux, dont les lames se croisent.

Comment les pinces fonctionnent-elles? Pour tenir un écrou quand vous vissez un boulon, par exemple, vous ouvrez simplement les pinces en écartant les bras du manche, comme vous feriez avec des ciseaux. Mettez les deux extrémités de chaque côté de l'écrou et refermez. Les extrémités légèrement cannelées permettent de bien tenir l'écrou. Il faut bien comprendre que le manche est beaucoup plus long que les extrémités. Ainsi, le mouvement de levier vous permet de tenir l'écrou fermement en place en exerçant un minimum de pression. Même quand le boulon sera vissé à fond, l'écrou ne bougera pas."

Exercez-vous à votre tour! Imaginez un lecteur différent ou une façon différente de décrire l'instrument.

Il vous sera tout d'abord difficile de décrire *simplement* un instrument aussi banal. N'abandonnez pas, cependant. Les difficultés s'estomperont à mesure que vous le décrirez *pièce par pièce* et *étape par étape.*

Quand nous observons des objets familiers, nous les voyons comme des choses non dissociées. L'apparence, la fonction, la raison de leur fonctionnement, le profit que nous en tirons: tous ces attributs se présentent à nous en même temps. Et il ne nous est pas difficile de comprendre cette perception.

Ce qui est difficile, c'est de décrire l'objet à autrui. On peut présumer que le lecteur connaît mieux la chose que celui qui la décrit. Par conséquent, on omet d'importants renseignements. Ou on peut tenter de décrire tout en même temps: l'apparence, le toucher, le fonctionnement, le travail final. Et alors les mots s'enchevêtrent.

Pour venir à bout de la confusion, il faut considérer séparément les différents aspects de l'objet. Ne pensez pas aux utilisations particulières d'un instrument au moment où vous décrivez son apparence. Ne faites qu'en décrire l'apparence. Vous pourrez décrire ses nombreuses utilisations dans un autre paragraphe réservé à la *fonction.*

Si vous ne pouvez mettre la main sur des pinces, tentez de décrire un autre instrument simple: une lime à ongles, un stylo, un bâton de rouge à lèvres, un taille-crayons. N'importe quel outil simple fera l'affaire à la condition qu'il présente un défi et un exercice valable de description logique. Assurez-vous seulement qu'il s'agit d'un instrument simple, non d'un ordinateur ou d'un robot culinaire. Il est facile d'abandonner en disant: "Personne d'autre qu'un spécialiste ne peut décrire un Apple

Il." Mais nous devrions tous pouvoir décrire une lime à ongles.

Quand vous pourrez réaliser une telle description, vous serez capable de décrire n'importe quoi de façon claire, de la calculatrice au système de classement complexe. Et vous aurez la capacité de rédiger n'importe quel mémo ou rapport technique.

3. *Évitez le jargon technique.* Rappelez-vous les lois de Newton. Elles sont rédigées en une langue claire, concise et lisible. Il y aura bien sûr des moments où vous devrez utiliser un terme technique, simplement parce qu'il n'existe aucun terme générique. Mais ne cédez pas au leurre de l'*hyperspécialisation*! À cause de leur spécialisation, de nombreux rédacteurs techniques veulent que chaque mot ou notion qu'ils utilisent ait un sens précis. Ce but est louable dans un laboratoire, où les termes techniques sont monnaie courante; mais il est ridicule dans un mémo adressé à des lecteurs non spécialistes qui ne comprendront rien à un terme très technique. Réduisez au maximum l'utilisation de termes techniques. Il vaut beaucoup mieux être moins précis et être mieux compris.

4. *N'oubliez jamais que votre but est de communiquer et non seulement de présenter.* La clarté, l'attention portée à l'intérêt du lecteur, une structure logique et un champ de référence compréhensible, ce sont là des éléments qui vous aideront à atteindre ce but unique et important. Pour l'atteindre sans grand effort, faites scintiller ce mot: COMMUNIQUER! dans votre esprit.

Bien. Vous allez écrire et penser avec simplicité. Si vous vous surprenez à utiliser des mots compliqués, pensez à Newton; ou Einstein ($E = MC^2$ — l'énergie correspond à la masse multipliée par la vitesse de la lumière au carré). Si les notions premières de l'univers peuvent être dites en quelques mots compréhensibles à un enfant de douze ans, il doit en être de même des notions et des événements décrits par vous.

Quand vous décrivez quelque chose, faites-le de façon logique, étape par étape, élément par élément. Concentrez-vous exclusivement sur l'étape que vous êtes en train de décrire. Oubliez ce qui précède et ce qui suit. Plus tard, vous serez plus à même de faire les liens qui s'imposent. Assurez-vous simplement de rendre chaque étape compréhensible, et manifeste dans la mesure du possible.

Revoyez la description que vous avez faite des pinces (ou, à défaut de la vôtre, celle que j'en ai faite). Imaginez un lecteur puis pensez comme lui (étape 1). Écrivez tout ce que vous connaissez sur le sujet (étape 2). Puis commencez votre rapport par les sujets qui intéressent le plus le lecteur. Poursuivez tel qu'indiqué sur le modèle. Suivez ce modèle pour tous vos rapports ou mémos techniques. Faites-en quelques copies: les soulignements et les ratures s'accumulent vite!

27 Comment rédiger un rapport technique limpide

Tout comme le mémo, le rapport technique doit intéresser le lecteur et, si possible, répondre à ses interrogations sur le sujet.

Munissez-vous de quelques fiches de 7 cm X 13 cm. Chaque type de destinataire aura sa fiche. Identifiez chaque fiche en fonction de la catégorie de destinataires que devrait atteindre votre rapport: administration, recherche, etc. Entre parenthèses, écrivez le nom d'une personne réelle qui lira votre rapport. Par exemple, vous pourriez écrire à côté d'"administration" le nom du président de la compagnie.

Faites ensuite une liste des questions que chacun des destinataires se poserait avant même de parcourir le rapport. Si des questions vous viennent à l'esprit, mettez-les sur papier avant qu'elles ne s'envolent. Si vous êtes bloqué, référez-vous à la méthode du dialogue décrite au chapitre 2. Selon l'objet du rapport, les questions peuvent être générales ou spécifiques. Elles pourraient être formulées comme suit:

Administration (Jean Richier, président)

1. Combien a coûté ce projet jusqu'à maintenant?
2. Combien devrait-il coûter?
3. Quels sont les profits escomptés?
4. Quand y en aura-t-il?
5. Cette réalisation améliorera-t-elle notre compétitivité?
6. Mènera-t-elle à de nouveaux produits?
7. Quels avantages et désavantages retirera-t-on de ce nouveau champ d'activité?
8. Pour quelle raison devrions-nous encourager financièrement ce projet?

Recherche (Michel Turcotte, directeur de la recherche)

1. À quelle étape le projet est-il rendu?
2. À quelles difficultés techniques s'est-il buté ou quelles difficultés techniques a-t-on dû surmonter?
3. Est-il réalisable techniquement?
4. Le procédé ou le produit sur lequel nous travaillons est-il meilleur que celui que nous avons présentement? Comment?
5. Ce projet a-t-il suscité des interrogations nouvelles?

Vous n'avez qu'à modifier ces questions en fonction de votre projet, de son but, des étapes ayant mené à son acceptation et des caractéristiques de certains destinataires importants — ceux que vous gardez bien en mémoire (et entre parenthèses).

Dès que vous aurez formulé ces questions sur papier, répondez-y par écrit. Considérez chacune des questions des destinataires en regard des données permettant d'y répondre et écrivez tout ce qui vous vient à l'esprit et qui constitue des éléments de réponse. Faites cela avec rapidité et formulez une réponse exhaustive.

Quand vous en aurez terminé avec les questions, fermez les yeux et pensez au rapport final. Les destinataires ont-ils besoin de savoir autre chose? Si d'autres sujets vous viennent à l'esprit, formulez-les par écrit et, dans la mesure du possible, mettez entre parenthèses le type de lecteur que chacun des sujets intéresserait. Puis passez à l'étape 2. *Ne faites qu'écrire* tout ce qui vous vient à l'esprit sur le sujet. Rédigez des notes dans lesquelles des tableaux ou des données illustreront ou expliqueront votre point de vue.

Vous avez donc en main une série de fiches ou de feuilles distinctes et complètes en elles-mêmes. C'est précisément ce que vous *devez* avoir, car le rapport technique est littéralement une traduction multiple de votre travail en plusieurs langues, une pour chaque type de lecteur. Étant donné que l'intérêt et la formation des destinataires varient, vous devez vous adresser différemment à chacun.

La pyramide des valeurs

Considérez votre rapport comme une pyramide. Chaque section développe davantage le contenu des sections précédentes. J'appelle le rapport une pyramide des valeurs parce qu'il constitue un excellent exposé de votre travail et parce que chaque section, ou niveau, a une valeur particulière pour un destinataire donné. Voici à quoi ressemble la pyramide des valeurs:

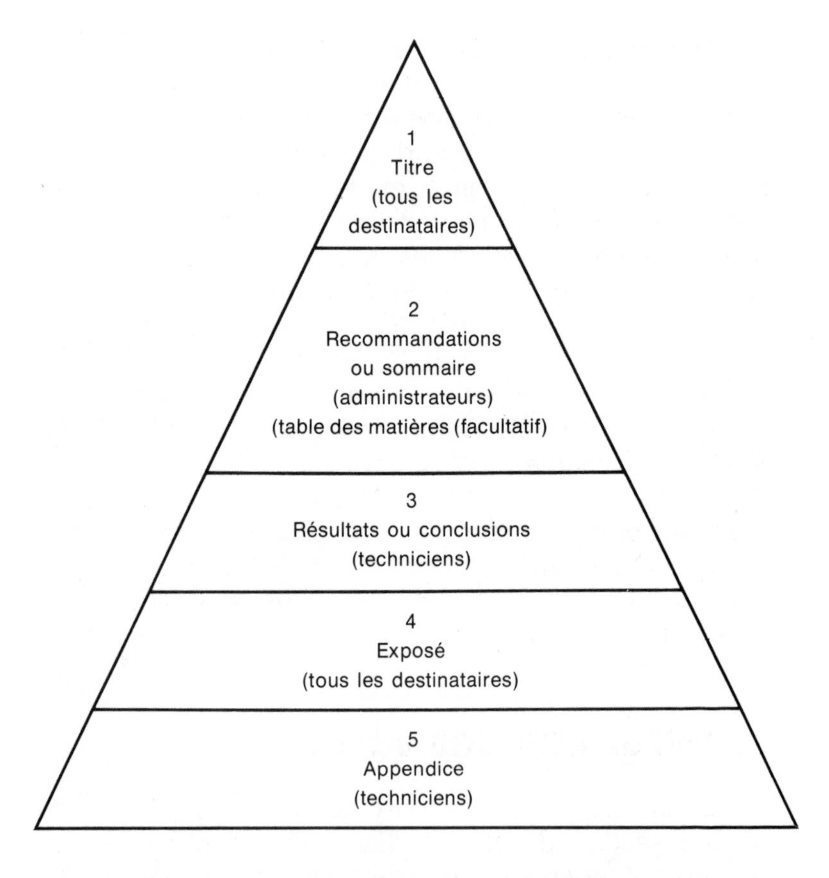

Votre rapport contiendra cinq traductions distinctes d'un même sujet.

Le titre

Le titre constitue la déclaration la plus générale, la plus complète et la plus claire de toutes. Chacun doit en comprendre le sens. Il doit révéler, de la façon la plus succincte possible, le sujet du rapport et votre travail particulier en fonction de ce même sujet. Imaginez que le titre annonce un drame émouvant — un programme d'activités, somme toute. Il souligne:

— le sujet, l'action, les acteurs, le temps, le lieu.

Les recommandations

Dans cette partie du rapport, vous donnez la signification générale du projet à l'intention de l'administration. Vous demandez qu'on soutienne votre projet en montrant aux lecteurs qu'*ils* en tireront avantage. Revenez à la fiche "Administration". Les administrateurs voudront savoir en quoi la compagnie tirera profit du projet et si le profit sera important. C'est le moment d'en parler de façon claire.

Si vous ne vous sentez pas en mesure de faire des recommandations à ce moment précis, faites un sommaire dans lequel vous tenterez de répondre à autant de questions possibles de la part du lecteur imaginaire.

Si vous voulez faire des recommandations, expliquez où en est le projet en un paragraphe de deux ou trois phrases. Poursuivez avec une série de recommandations placées en ordre vertical et précédées d'une étoile (*) ou d'un point (.) (pour bien les distinguer). Ne formulez qu'une seule recommandation par étoile ou par point. Vous ne pouvez formuler qu'un fait à la fois, de toute façon. Et vous voulez rendre la lecture aussi simple et aussi claire que possible. C'est d'ailleurs le lecteur qui en profitera.

La table des matières

Vous pouvez ajouter une table des matières après les recommandations ou le sommaire, particulièrement s'il y a beaucoup de sections. Sinon, il vaudrait mieux (et la clarté y gagnerait) mettre des onglets de couleur pour identifier chaque section. Si vous étiez le destinataire, quelle méthode préféreriez-vous? C'est l'intérêt et la facilité de lecture qui devraient vous guider.

Les conclusions

Les résultats ou conclusions devraient répondre aux questions les plus pressantes des techniciens, tout comme les recommandations l'ont fait pour les administrateurs. Donnez les résultats du projet par ordre d'importance aux yeux du technicien (et pas nécessairement aux vôtres). N'essayez pas d'en donner le plus grand nombre possible! Trois ou quatre conclusions claires dans une page courte sont plus impressionnantes, plus lisibles et plus sensées qu'une nomenclature de deux pages donnant les résultats les plus minimes.

La section des résultats ou des conclusions devrait aussi donner les faits sur lesquels vous fondez vos recommandations. Est-ce que le lecteur concerné pourra relier chacune des recommandations à un résultat précis? Sinon, ajoutez la raison précise de la recommandation.

Si les résultats ont besoin de données ou de graphiques pour corroboration, vous pourrez en mettre un ou deux; mais n'en abusez pas. Le lecteur parcourra cette section (une page, si possible) pour se faire une idée générale de ce qui va suivre. Il s'attend donc à ce que vous réserviez les détails pour l'exposé.

L'exposé

L'exposé est la partie la plus intéressante à rédiger. C'est la partie principale du rapport, dans laquelle vous allez révéler tout le projet au lecteur. Dans les sections précédentes, vous avez piqué sa curiosité. Voici l'aboutissement.

L'exposé, c'est littéralement le développement de tout ce qui a été dit jusqu'à maintenant. C'est également l'occasion de répondre à toute question complémentaire du lecteur.

Commencez par donner les détails des recommandations et des résultats. Si vous avez recommandé l'achat d'une nouvelle pièce ou d'une machine neuve, expliquez pourquoi elle serait meilleure que celle qui est présentement utilisée. Si des termes ou des procédés ne sont pas clairs aux yeux du cadre, donnez-en une définition. Expliquez les calculs dont vous vous êtes servis lors des essais. Rapportez-vous à toute donnée complémentaire pouvant expliquer vos recherches ou vos découvertes.

Vous faciliterez la lecture en faisant de chaque recommandation ou découverte une section. Faites simplement un résumé de la recommandation elle-même. Considérez chaque section comme si elle était une répétition de l'exercice sur les pinces. Donnez des explications simples, limpides, étape par étape, en ne développant qu'une idée par phrase. Si vous utilisez un terme technique, donnez-en immédiatement la signification. Vous trouverez tous les renseignements nécessaires sur vos fiches ou vos feuilles. Vous donnez donc une tournure logique, linéaire à votre rapport.

Vous constaterez peut-être que les renseignements dont vous vous servez pour expliquer certaines recommandations ou constatations ont aussi servi pour en expliquer d'autres. Dans ce cas, combinez ces renseignements dans une section et expliquez la façon dont ils se complètent.

Après avoir répondu à toutes les questions possibles de la part du lecteur, retournez aux fiches et aux papiers de l'étape 2. Barrez-y tous les sujets transcrits dans le rapport. Demandez-vous si les renseignements qui restent sont indispensables ou utiles à l'un ou l'autre des destinataires. La plus grande rigueur est essentielle ici. En abordant des sujets inintéressants pour les destinataires, votre propos se trouve amoindri, et peut même être complètement déséquilibré.

Assurez-vous donc que les renseignements répondent aux besoins des destinataires avant de les joindre au rapport. Si oui, constituez une nouvelle section correspondant au besoin auquel vous avez répondu (cela vous *forcera* à ne pas vous leurrer) et dites aux destinataires ce qu'ils ont besoin de savoir.

Liste de contrôle de l'exposé

Vous constaterez que votre exposé comprend plusieurs petits exposés sur différents sujets et intéressant différentes personnes. Considérez la disposition de ces sections. Avez-vous commencé par le sujet le plus intéressant — ou le plus important — pour le plus grand nombre de destinataires? Le sujet suivant est-il un peu moins important? Il est trop facile d'aborder les sujets intéressants pour *vous.* Mais le rapport ne *vous* est pas adressé, n'est-ce pas?

Maintenez ou modifiez la disposition des sections. Puis, pour chacune, vérifiez:

- Le *sens.* Pouvez-vous nommer les destinataires qui seront intéressés par vos propos?
- La *cohérence.* Avez-vous décrit le sujet ou le procédé étape par étape, en ne laissant tomber aucun lien? Avez-vous mené le destinataire avec sollicitude de l'ignorance à la connaissance?

- L'*insistance.* Avez-vous décrit l'aspect important du procédé?
- La *clarté.* Quand vous avez décrit une chose, l'avez-vous *nommée*, avez-vous dit *comment elle fonctionne*, l'*avez-vous comparée* à quelque chose que le lecteur connaît, et l'avez-vous décrite *pièce par pièce*?

Évitez:

- Tout terme technique savant.
- Toute longue explication (développement d'évidences).
- Les mots savants, les enchaînements de noms, la voie passive, les mots inutiles, les erreurs grammaticales.

Problèmes habituels des rapports

Vous devriez maintenant avoir un rapport complet, bien disposé et très lisible. Et cela est rare. La plupart des rapports qui me parviennent pour révision ou réécriture contiennent des erreurs au niveau de l'exposé. Les problèmes les plus communs sont:

- *La densité.* Toute la section paraît touffue; les seuls espaces sont dans les marges. Les paragraphes sont trop longs, les sections inexistantes. On se décourage à la seule vue de cette masse de texte. Il faut un courage inouï pour le parcourir.
- *Le manque de caractère humain.* Les actions sont "accomplies"; on ne voit jamais personne les faire. La voie passive et les formulations impersonnelles sont omniprésentes.
- *Le verbiage technique.* Si l'envoyeur a d'abord fait l'effort d'écrire dans une langue claire, il a ensuite démissionné. Dans l'exposé, il se laisse aller au verbiage technique, accumulant paragraphes sur paragraphes pour savoir lequel apparemment contiendrait le plus de mots creux.

- *La disposition incohérente.* S'il y a des sections, elles ne suivent aucun ordre. Le rédacteur écrit tout ce qu'il sait n'importe où sur la feuille. La méthode est valable à l'étape 2; mais il faut passer à l'étape 3. Le contenu n'est pas complet.

L'appendice

Le rapport se termine par l'exposé. Paradoxalement, cependant, la partie la plus longue du document est souvent ce qui lui est "annexé": l'appendice. Dans cette section, vous donnez toutes les informations techniques — tableaux, graphiques, transcriptions d'exposés ou de conférences, une bibliographie sommaire — que le lecteur plus spécialisé voudra consulter. L'appendice constitue aussi une source d'information pour quiconque désire approfondir un sujet. Vous devez donc vous y référer au besoin dans le corps du rapport.

J'ai dit que chaque section du rapport n'était rien moins qu'une traduction distincte du rapport. Le titre constitue la description sur une seule ligne du projet. La recommandation présente la partie essentielle du projet à l'administration. Les conclusions sont la présentation de cette partie essentielle aux spécialistes. L'exposé présente ce que chacun veut savoir du projet. Et l'appendice, c'est le sujet qui se révèle lui-même à travers les documents.

N'oubliez pas de:

(1) Rédiger chaque section en fonction du lecteur possible.
(2) Bien distinguer chaque section.
(3) Ne pas faire de répétitions d'une section à l'autre.
(4) Répondre aux questions du destinataire.

Vous rédigerez ainsi un rapport efficace!

VI
La méthode en bref

Rendez-vous indispensable à quelqu'un.
Ralph Waldo Emerson

Le roi poursuivit:
"Je n'oublierai *jamais, au grand jamais!*
— Vous oublierez, dit la reine,
si vous n'en faites pas un mémorandum."
Lewis Carroll

28 Pensez différemment

Le secret du mémo efficace vous appartient maintenant en propre, tout comme la "magie" de sa réalisation. J'emploie le terme "magie" car c'est précisément ce à quoi vous penserez, au début. Quand j'ai commencé à rédiger de cette façon, je pensais que ma plume ou ma machine à écrire était envoûtée. Comment pouvais-je expliquer autrement la rapidité avec laquelle j'écrivais? Et pourquoi les gens auxquels je faisais parvenir des lettres de plaintes m'envoyaient-ils des remboursements? Un homme très gentil — que je n'avais jamais rencontré — me téléphona pour s'excuser des méthodes dilatoires de sa compagnie. Il me déclara: "Je leur ai dit que s'ils voulaient me garder, ils devraient s'occuper immédiatement de cette question!" J'étais sidéré. C'est pourtant la vérité.

Pourquoi cela s'est-il passé ainsi? Il n'y a pas eu de miracle. Je crois que le phénomène résulte simplement de la méthode de rédaction d'un mémo efficace. J'ai présumé que les destinataires étaient des gens honnêtes, compréhensifs, et qu'on devait s'adresser à eux comme tels. J'ai tenté de répondre à autant de leurs besoins qu'il m'était possible de le faire. Ils m'ont payé de retour.

Au bout de quelque temps, cette technique de rédaction deviendra pour vous une seconde nature. Vous n'aurez même pas besoin de savoir quoi faire, ni dans quel ordre le faire, ni encore comment relier les éléments.

Mais pour les six premiers mois environ, il vous sera utile d'avoir un résumé de la méthode à portée de la main. Vous aurez en outre d'autres occasions de vous en servir; au moment, par exemple, où, sans vous en rendre compte, vous voudrez revenir à la rédaction en "langue des affaires", ou encore, quand vous voudrez être ampoulé, pompeux et paraître important, quand aussi vous perdrez patience et voudrez rédiger une lettre d'insultes. C'est dans ces moments que vous aurez besoin de mon livre — et particulièrement de ce chapitre qui contient un résumé de la méthode. Voilà qui est clair.

Une écriture limpide procède d'une pensée claire. Pour rédiger le mémo clair et limpide qui vous propulsera au sommet, vous devrez d'abord modifier votre pensée de trois façons.

Dites-vous: je veux parler à quelqu'un

Grâce à cette simple pensée: "Je veux parler à quelqu'un", vous vous débarrasserez du fardeau de la "langue des affaires". Les mots qui vous permettront d'exprimer votre pensée seront bons à entendre, clairs, compréhensibles et ils seront perçus comme tels par votre interlocuteur. Il est peu probable que vous rédigiez d'affreux documents "d'affaires" comme celui qui m'est parvenu l'autre jour. Il provenait d'une compagnie qui avait apparemment acheté la société d'assurances dont je suis client. La première phrase m'informait qu'"une fusion s'était produite" entre mon assureur originel et l'entreprise qui me faisait parvenir cette lettre. La deuxième phrase se lisait comme suit:

"Cette fusion a été suggérée en raison directe du défaut de M.H.P. de se conformer aux normes relatives aux entreprises d'assurance-maladie et de la mise en place de mesures de réhabilitation administrative de M.H.P. instituées par le directeur général des assurances de l'État de New York après constatation que la compagnie M.H.P. n'était pas solvable et qu'à défaut d'appuis administratifs et financiers externes, ses clients pourraient subir des préjudices graves."

Après m'avoir servi une salade incompréhensible, l'envoyeur présume que je me réjouirai de la nouvelle qu'il m'annonce, que je serai heureux d'être client de la plus grande entreprise d'assurance-maladie de l'État de New York. J'étais écoeuré et je n'avais aucune confiance dans cette nouvelle compagnie d'assurances (même si je ne me basais que sur le style tarabiscoté de la lettre)! Je pensais: ces gens ne peuvent même pas mettre un mot à la suite de l'autre dans une lettre visant à calmer et à rassurer le client. S'ils ne sont pas capables d'être clairs dans une lettre, comment pourront-ils faire la part de mes droits et responsabilités? Comment vais-je faire pour comprendre leurs formulaires et leur mode d'opération? Devrais-je changer de compagnie d'assurances?

Ma réponse fut: oui. Je n'avais pas confiance en ces gens. J'ai changé de compagnie d'assurances et je ne l'ai pas regretté. Leur première lettre leur avait fait perdre un client.

Je fais état de cette lettre et de ma réaction pour démontrer l'énorme influence de l'écrit dans le monde des affaires. Aucun homme d'affaires ne peut se permettre d'ignorer ce fait.

Dites-vous: je veux communiquer

Nous sommes des êtres sociables. En compagnie d'autrui, nous nous réjouissons d'une naissance et nous

nous réunissons pour pleurer une mort. Un de nos besoins fondamentaux est de sortir de notre solitude et de nous joindre à nos semblables.

En affaires toutefois, les gens agissent comme s'il n'en était pas ainsi. Une sorte de verbiage empêche les gens de communiquer. C'est comme si quelqu'un avait édicté une règle stipulant: "Vous devez utiliser des mots qui gardent le lecteur à distance".

Que se passe-t-il? Vous dressez une barrière verbale autour de vous de façon que personne ne puisse savoir ce que vous pensez vraiment. Et vous faites là une grave erreur.

En affaires, on nous a appris à nous méfier les uns des autres. On a l'impression qu'en agissant et en parlant sans détour, on nous bernera ou on nous dépréciera. C'est ainsi que nous nous cachons derrière la langue des affaires. Quand vous écrivez: "Pour faire suite à votre demande, vous trouverez ci-joint...", vous déshumanisez votre lecteur et vous vous déshumanisez vous-même. Vous devenez tous deux des êtres impersonnels: sans visages, sans âmes, sans humour. Et personne ne se met en valeur.

Mais si vous voulez vous mettre en valeur, si vous voulez qu'on se souvienne de vous et qu'on vous appuie, si vous voulez qu'on réponde à vos besoins d'efficacité, vous devez communiquer. Vous devez vous avancer et tenter d'abord de répondre aux besoins du destinataire. Discernez vos intérêts communs. Discutez-en. Dites au destinataire qu'il vous fait plaisir de traiter avec lui — avant même de dévoiler vos intentions. Quand vous donnez des renseignements, faites en sorte qu'ils soient complets mais compréhensibles, ne lui révélant que ce qu'*il* a besoin de savoir.

Quand vous vous avancerez vers lui, le destinataire réagira en s'avançant vers vous. Tout comme les gens répondent à la méfiance par la méfiance, ils répondent à l'honnêteté par la franchise. Si vous prenez la responsabilité de vos actes et que vos paroles correspondent à votre pensée, il en sera de même du destinataire. C'est formidable — et efficace.

Pensez comme le lecteur

Imaginez que vous soyez le destinataire qui reçoit le mémo sur son bureau. Rédigez les quatre questions qui vous aideront à atteindre le destinataire:

- **Qui** lira ce papier?
- **Pourquoi** devrait-il se donner la peine de le lire?
- À **quel** besoin ou problème précis répond-il?
- **Comment** peut-il répondre à ces besoins?

Quand vous aurez trouvé une réponse claire à la première question — en n'oubliant pas le caractère et les intérêts particuliers ainsi que la personnalité spécifique du lecteur — vous pourrez utiliser les questions qui restent pour constituer la base du mémo (étape 2). À cette étape, vous pouvez rédiger un dialogue imaginaire entre vous et le destinataire ou constituer des sections chapeautées par des sujets qui intéressent le lecteur. Je préfère toujours commencer par un dialogue, ce qui donne un début plus naturel au mémo.

Toutefois, avant de commencer à rédiger, revoyez la liste des besoins humains fondamentaux auxquels vous vous efforcerez de répondre dans votre mémo:

- **L'amitié** — Vous écrirez de la façon dont un être humain affable s'adresse avec joie à son semblable.
- **L'approbation** — Vous montrerez au destinataire que vous l'estimez de même que vous estimez son opinion.

- **La satisfaction du devoir accompli** — Vous vous efforcerez de lui rendre service.
- **La stimulation intellectuelle** — Vous présumerez que le destinataire est intelligent et vous partagerez avec lui votre enthousiasme et votre connaissance.
- **La découverte et l'élargissement du champ de connaissance** — Vous vous efforcerez de donner au lecteur tous les détails dont il a besoin pour répondre à ses interrogations.
- **La satisfaction esthétique** — Vous rédigerez votre mémo en variant la formulation, en utilisant une langue limpide et simple, sans erreurs grammaticales, et en prenant garde à l'apparence.

Arrêtez-vous aux aspects suivants avant de commencer:

1. Je veux m'adresser à...
2. Je veux communiquer avec lui.
3. Je désire penser comme lui.

29 Écrivez de manière différente

En modifiant votre façon de penser, vous avez changé la dimension de votre message écrit. Le message n'a pas été modifié, mais vous vous efforcerez dorénavant de le rendre aussi limpide et accessible que possible aux destinataires. À l'intérieur de ce cadre où prime le besoin des destinataires, vous pourrez écrire différemment.

Écrivez sans contrainte et sans vous arrêter

Tout comme au chapitre 2, rédigez un dialogue entre vous et le lecteur. Ou mettez sur papier des sujets intéressant le lecteur et répondez-y. Ou encore prenez note sur une fiche des sujets que vous voulez aborder et commencez à écrire au moment où cela vous plaira. Aussitôt que vous connaîtrez bien les besoins et les intérêts du lecteur, la forme n'aura plus d'importance.

Commencez à écrire. Écrivez tout ce que vous savez ou ce que vous avez envie de dire sur le sujet. Quand vous aurez terminé, écrivez tout ce qui *vous* paraît important. Ne vous arrêtez pas. Vous serez étonné de l'ampleur de ce que vous avez à dire.

Ne faites cependant aucune correction. Une seule pause pour modifier un terme ou biffer une expression vous fera perdre le fil de votre pensée. Vous vous efforcez de laisser libre cours à vos facultés créatrices. Arrêter pour corriger équivaut à vous arrêter au milieu d'un saut pour attacher un lacet de chaussures.

Ne vous préoccupez pas des termes grandiloquents. Si vous écrivez *ci-joint* et *pour faire suite à votre lettre du* depuis de nombreuses années, vous ne pouvez vous attendre à ce que ces termes disparaissent du jour au lendemain. Quelle que soit leur incongruité dans le langage, ils peuvent faire partie de votre vocabulaire. Ne vous en préoccupez pas. Vous pourrez les faire disparaître plus tard. Pour le moment, votre *seul* but est de mettre votre connaissance, vos pensées et vos découvertes par écrit. Vous ne pouvez réaliser cela que si vous écrivez sans contrainte et sans vous préoccuper de la qualité de la rédaction.

Trouvez l'idée principale

Relisez votre texte complet et non corrigé. Demandez-vous: qu'est-ce que je veux transmettre? Pensez au discours de Gettysburg et à la ferme volonté de Lincoln de préserver l'Union. Quelle force sous-tend votre texte? Pourquoi l'avez-vous rédigé?

Puis revenez sur le texte avec votre crayon mauve.

30 Un texte simple et limpide

Le dessein et la disposition du mémo sont désormais simples et limpides. Vous vous préoccupez des besoins des lecteurs. Vous leur présentez votre message (la force qui sous-tend le texte) de la façon la plus intéressante pour eux. Vous allez commencer par le sujet le plus préoccupant pour le lecteur — non pour vous — et vous rédigerez votre mémo en fonction de ses besoins.

Vous pouvez maintenant vous préoccuper des termes eux-mêmes. J'aimerais vous remettre un écriteau sur lequel seraient gravés les mots: *simple et limpide!* Vous pourriez mettre ces mots en marge de chaque ligne de façon à mesurer l'efficacité de chaque mot ou expression employé. Toutefois, même sans cette aide, vous allez rapidement appliquer ces critères à vos textes et vous saurez discerner les termes ampoulés quand ils se présenteront.

Voici quelques suggestions qui vous permettront de vous débarrasser des scories:

Écrivez ce que vous pensez

Si vous pouvez "transcrire" votre pensée en une phrase plus simple et limpide qu'elle ne l'est déjà, faites-le, car c'est précisément ce que vous voulez dire. Alors, dites-le donc.

Pour le moment, vous devriez surveiller chacune de vos phrases. Lisez la phrase et demandez-vous: qu'est-ce que je veux dire ici? Si votre réponse s'avère plus claire que la phrase, remplacez cette dernière par la réponse.

Un directeur de la comptabilité qui voulait définir des "projets à court terme" écrivit:

> "Les projets à court terme sont ceux dont la fin anticipée sera en deçà de quelques mois ou années, le terme étant proportionnel à l'appui accordé."

S'il s'était arrêté un instant pour se demander: qu'est-ce que je veux dire? il aurait sans doute reformulé la phrase ainsi:

> "Les projets à court terme sont ceux qui durent aussi longtemps qu'ils sont financés."

Un rapport du Conseil de la sécurité routière des États-Unis affirme:

> "Bien qu'il soit impossible de déterminer statistiquement le fait que les bris mécaniques sont à l'origine des accidents, on est de plus en plus enclin à croire qu'il en est effectivement ainsi."

Qu'est-ce que le rédacteur a voulu dire, en termes clairs?

> "Bien qu'on ne puisse prouver statistiquement que les bris mécaniques sont la cause d'accidents, il semble bien qu'ils y contribuent."

Pourquoi les rédacteurs ont-ils rédigé ces phrases ampoulées plutôt que d'écrire de façon simple et limpide? Il y a un certain nombre de raisons pour cela, y compris l'habitude, mais je pense que la raison la plus importante, c'est la *crainte* de rédiger un texte simple et limpide. Si vous affirmez quelque chose de façon claire, vous ne pouvez dire que vous avez été mal compris. Vous ne pouvez donc pas vous défiler. Vous devez défendre vos arguments. Vous devez avoir confiance en vous-même et en votre connaissance. Cette confiance se transcrit au niveau de la simplicité et de la clarté de vos énoncés.

Parleriez-vous en faveur de quelqu'un qui a confiance en lui-même, est sans détour et utilise les mots pour transmettre un message plutôt que pour le cacher? Ou en faveur de celui qui cherche à briller dans ses textes, à se défiler, qui doit utiliser de multiples périphrases pour arriver à transmettre son message et se laisser une porte de sortie au cas où il aurait commis une erreur?

La réponse est évidente. Et c'est la voie de la réussite.

Utilisez des verbes de voie active

Évitez autant que possible les verbes de voie passive, ceux qui indiquent que *personne ne fait rien.* Les plus habituels sont les verbes "être" et "avoir".

Relisez les textes du directeur de la comptabilité et du fonctionnaire du Conseil de la sécurité routière. Dans le premier texte, on n'utilise que le seul verbe "être". Il n'y a aucun verbe actif. Dans le deuxième, on a: "soit... déterminer... sont... est... en est". *Un seul* verbe actif (*déterminer*) dans une longue tirade.

Rappelez-vous que le texte doit transmettre au lecteur des notions qui viennent de vous. La façon la plus efficace de comprendre une notion est de la voir. Vous ne "voyez" pas les abstractions. Vous voyez des gens qui font des actions précises. C'est pourquoi les verbes actifs constituent une façon efficace de communiquer; ils vous font voir l'image en pensée.

Si vous vous posez la question suivante au moment où vous relisez vos phrases, les verbes prendront vie. Cette question, c'est: qui fait quoi? Posez-vous cette question chaque fois que vous serez en présence d'un verbe passif. La réponse vous indiquera la façon de reformuler la phrase ou l'énoncé.

Prenons par exemple cet avis dans un laboratoire:

> "L'obéissance de tous les techniciens aux règles de sécurité est absolument indispensable."

Où est le verbe actif? Nulle part. Qui fait quoi?

> "Tous les techniciens (qui) doivent se conformer (fait) aux règles de sécurité (quoi)."

La phrase est maintenant plus lisible — mais remarquez-vous quelque chose? Quand votre propos devient simple et limpide, vous vous rendez compte de son peu de substance! Quelles sont ces "règles de sécurité"? Comment les techniciens vont-ils s'y conformer? En débarrassant le texte de ses scories, vous voyez à quel endroit il manque de clarté ou d'assurance. Les mots peuvent masquer l'ignorance durant un certain temps mais à un moment donné, le lecteur voudra comprendre ce que vous lui dites. Il appréciera que vous compreniez ce que vous avez à lui dire et que vous lui parliez en langage clair.

Utilisez des verbes plutôt que des noms

Voici la partie finale. Vous avez d'abord transformé ce que vous avez écrit en ce que vous vouliez écrire. Puis vous avez transformé des énoncés abstraits et impersonnels en expressions humaines dynamiques. Vous allez maintenant rendre votre propos *lisible.* Vous allez l'alléger et laisser couler vos phrases de la même façon que votre pensée. Vous allez transformer d'affreuses formulations en "langue des affaires" en communication vivante et passionnante.

Rappelez-vous que même si vous devenez président de compagnie, votre auditoire n'est jamais captif. Les gens peuvent être obligés de lire votre mémo, mais personne ne peut les obliger à y souscrire, ou à vous admirer. Mais ils feront tout ça de bon gré si vous cherchez à répondre à leurs besoins. Et même si vous devez formuler la pire demande, vous pouvez néanmoins répondre à des besoins en rédigeant un mémo senti, intéressant, en une langue simple et limpide. Dites-leur ce qu'ils désirent et ont besoin de connaître; vous montrerez que vous vous intéressez à eux. Dites-le en outre en termes agréables à entendre.

Nous vivons, nous travaillons, nous agissons, nous nous rencontrons et parfois nous différons d'opinion. C'est ça la vie! Mais transcrit dans le langage commercial, cela devient:

> "Nous existons, nous sommes au travail, nous prenons les choses en considération, nous avons une ligne de conduite, nous avons des réunions et parfois nous avons des désaccords."

Vous comprenez maintenant ce que je veux dire? Combien de vos textes ressemblent à ceci?

Quand vous discernez une phrase comprenant un sujet, un verbe passif (être, avoir, prendre, etc.) et un complément, voyez si vous ne pourriez pas en faire un sujet et un verbe. Par exemple:

Nous sommes d'accord	**devient**	Nous nous entendons
Nous allons procéder à un examen	**devient**	Nous examinerons
Je fais mention de	**devient**	Je mentionne
Cela implique la nécessité de	**devient**	Cela nécessite
S'il vous plaît, prenez note que	**devient**	Notez que

Parfois on trouve le verbe juste simplement en observant le nom (nous sommes d'accord = nous nous entendons). D'autres fois, on doit se poser la question bien connue: qu'est-ce que je veux dire, en termes clairs?

Utilisez des prépositions plutôt que des locutions prépositives

Les locutions prépositives alourdissent la phrase. Elles sont trop longues et disent trop peu. *De façon à, dans le but de* et *en sorte que* ne veulent dire rien de plus que *pour*! Pour alléger vos propos, arrêtez-vous aux phrases qui *commencent par une préposition.* Une seule préposition ne rendrait-elle pas le même sens? Si oui, utilisez-la. Ces mots en trop ne se justifient pas. En voici quelques exemples:

De la même façon que	comme
En ce qui concerne	à propos
De la façon dont	comme
Dans le sens de	pour
De la part de	par

Il y aura bien sûr des occasions où vous devrez utiliser des locutions prépositives. L'équivalent plus succinct et plus clair n'existe pas toujours. Mais si vous truffez la page de *dans... de* et de *en... de*, vous ne faites que noircir du papier... pour rien.

Utilisez des termes clairs

En dernier lieu, utilisez des termes clairs. Des termes authentiques, ceux dont vous vous servez pour parler à un ami.

Cela ne veut pas dire d'éliminer tout terme technique. Si vous entreteniez un ami des vertus curatives de l'acide salicylique, vous l'appelleriez par son nom. *Mais* vous diriez quelque chose comme ceci: "On a procédé à des essais sur l'acide salicylique pour voir s'il peut soulager les douleurs arthritiques." Vous ne diriez pas: "Les propriétés de l'acide salicylique ont fait l'objet d'examens quant à leur capacité de soulagement de maux aigus et bénins résultant de l'état arthritique."

Comprenez-vous?

Dorénavant, vous pourrez reconnaître le jargon des affaires. Revenez au chapitre 7 pour vous rafraîchir la mémoire sur les fioritures inutiles et d'autres monstruosités semblables. La particularité du jargon des affaires est sa *confusion.* Les mots s'accumulent pour diluer et non pour clarifier l'image. Les lieux communs sont à ce point éculés qu'ils veulent dire à peu près n'importe quoi. L'auteur redit éternellement les mêmes choses, usant de redondances et de paraphrases. Paradoxalement, ces répétitions dénuées d'inspiration rendent son message plus ambigu que s'il n'y avait qu'un seul énoncé précis. Les couches d'expressions désuètes masquent le sens car elles ont été utilisées trop de fois pour signifier trop de choses.

Voici une liste succincte des termes du jargon des affaires qui nuisent à votre propos:

Évitez les redondances

Une redondance est l'utilisation de deux mots ou plus quand un mot suffirait amplement. Ainsi:

- **Les adjectifs inutiles**

engouement *passager* | l'indispensable *absolu*
adage *ancien* | vérité *factuelle*

- **Les prépositions ou les locutions prépositives accessoires**

attacher *ensemble* | déprécié *en valeur*

Il y en a évidemment beaucoup plus. Vous pouvez en créer vous-même! Elles suivent toutes le même modèle: écrivez un nom puis réduisez-en le sens en lui adjoignant un mot ayant un sens identique. Évitez ces redondances.

Les lieux communs

Un lieu commun est une expression jadis pleine de verve et qui, par une utilisation trop générale, a perdu sa fraîcheur. Les lieux communs sont le substitut le plus fréquent de la pensée originale. Voici quelques spécimens du jargon des affaires:

on s'est entendu sur notre désaccord
cela défie toute description
c'est là le noeud du problème
et dans le même sens
il est comme un chien dans un jeu de quilles
c'est une idée du tonnerre
on est pris entre l'arbre et l'écorce
allez-vous nous dire quelques bons mots?
de toute évidence, c'est un sujet de réflexion
passer du ridicule au sublime
on doit aplanir ces difficultés
il va sans dire
gardons les yeux ouverts
la solution laisse beaucoup à désirer
n'a pas besoin qu'on le présente
cela est d'une importance capitale
quelqu'un doit payer la note
ils se vendaient comme des petits pains chauds
on doit rester au poste et...
depuis des temps immémoriaux
les mots ne peuvent pas exprimer...

Lorsque vous vous arrêtez au sens des lieux communs, un fait curieux vient à l'esprit. Ces expressions vous concernent peu ou pas du tout. Elles ne procèdent pas de votre propre expérience. Elles ont été empruntées à une personne qui a fait le lien entre deux situations — dans un lieu différent et à une époque autre.

Quand vous dites qu'ils vous font payer "la peau et les os", vous pourriez aussi bien dire que "le prix est trop élevé". Le cliché ne donne aucun renseignement nouveau car il n'a en lui-même aucun sens tant pour vous que pour le lecteur. Mais l'individu qui a utilisé l'expression en premier avait sans doute quelque chose de très précis à exprimer. Pourquoi alors ne pas dire exactement ce que vous voulez dire ou bien encore imaginer une analogie par vous-même? Les lieux communs ne sont que du rembourrage. On les utilise pour intensifier le message, mais ils ne font que le masquer. C'est pourquoi il vaut mieux les éviter.

Vérification finale

Lorsque vous aurez clarifié votre message, les erreurs grammaticales qui restent vous sauteront aux yeux. Maintenant que vous connaissez l'importance des mots que vous utilisez et de la façon dont vous les agencez, vous vous rendrez vite compte d'une structure déficiente ou d'une erreur de logique. Soyez à l'affût:

- d'un mauvais accord des pronoms;
- des signes de ponctuation aux mauvais endroits;
- d'une préposition erronée.

Relisez encore une fois votre mémo. Le ton est-il respectueux? Le style est-il personnel? Aimeriez-vous le lire s'il vous était adressé? Si vous répondez *oui* à ces trois questions, vous avez gagné la partie; une partie importante.

Le mémo efficace n'est pas fait d'une avalanche de mots. Vous aurez constaté qu'il exprime par écrit la confiance qu'ont les gens les uns envers les autres. Il ne peut être rédigé que par un individu qui aime sincèrement ses semblables et qui, de façon consciente, agit envers eux de la meilleure manière possible, un individu qui dit: "Laissons tomber les prétentions et l'orgueil. Nous sommes des individus qui travaillent ensemble et non des adversaires qui ne peuvent survivre que par la ruse et l'agression. *Parlons*-nous. Soyons heureux de travailler ensemble. Agissons envers les autres comme nous voudrions que l'on agisse envers nous."

Dans votre prochain mémo, suivez cette règle d'or: adressez-vous à autrui de la même manière que vous voudriez qu'il s'adresse à vous: simplement, avec clarté et sérénité. Vous rédigerez ainsi un mémo merveilleux!

Épilogue
Parler pour le plaisir

Peut-être la lecture de ce livre vous a-t-elle fait prendre conscience que vos années de verbiage financier n'ont pas été aussi fructueuses qu'elles auraient pu l'être; que vous ne vous êtes pas laissé aller aux simples joies du langage. Il est extrêmement agréable d'utiliser le langage de façon créatrice et personnelle. Dès que vous n'avez plus besoin de vous cacher derrière les mots, vous pouvez commencer à les apprécier. Et vos mémos seront très agréables à lire.

Je vais vous suggérer quelques lectures complémentaires. Vous pourrez en être étonné. Vous n'y trouverez pas les ouvrages classiques sur le style ou la grammaire. Je vous ai dit ce que vous aviez besoin de savoir sur ces sujets.

Ces dix suggestions de lecture vous aideront à mieux écrire.

Si vous vous procurez un exemplaire de chacun de ces textes, vous aurez en tout temps les meilleurs conseillers possible à portée de la main.

1. Le développement logique, étape par étape, d'une situation:

La Valse aux adieux de Milan Kundera (Folio, n° 1043).

2. Une narration très vivante des événements:

Le Rouge et le Noir de Stendhal (Garnier-Flammarion, n° 11).

3. Des mots simples et courts utilisés pour obtenir le maximum d'effet:

Agatha de Marguerite Duras (Éd. de Minuit).

4. Un merveilleux exercice descriptif:

Alexandre Chenevert de Gabrielle Roy (Beauchemin).

5. Une conclusion extraordinaire:

Le Vieil Homme et la Mer d'Ernest Hemingway (Folio n° 7).

6. La force de persuasion:

Entre la sainteté et le terrorisme de Victor-Lévy Beaulieu (VLB éditeur).

7. Une langue personnelle, très imagée:

La Vie devant soi d'Émile Ajar (Folio, n° 1362).

8. Une admirable lettre de réclamation:

Lettre au général Franco de Fernando Arrabal (10/18, n° 703).

9. Un récit de voyage fascinant:

Le Colosse de Maroussi de Henry Miller (Le Livre de poche, n° 5192).

10. Le souci du détail, l'emploi du mot juste:

Les Grandes Marées de Jacques Poulin (Leméac).

Et les mots de Robert Frost:

> "Mais tout le plaisir se trouve dans la manière dont vous dites les choses."

Table des matières

NOTES

NOTES

NOTES

NOTES

NOTES

NOTES

Ouvrages parus chez les éditeurs du groupe Sogides

* Pour l'Amérique du Nord seulement ** Pour l'Europe seulement

ANIMAUX

* **Art du dressage, L',** Chartier Gilles
Bien nourrir son chat, D'Orangeville Christian
Cheval, Le, Leblanc Michel
Chien dans votre vie, Le, Margolis Matthew et Swan Marguerite
* **Éducation du chien de 0 à 6 mois, L',** DeBuyser Dr Colette et Dr Dehasse Joël
Encyclopédie des oiseaux, Godfrey W. Earl
Mammifères de mon pays, Duchesnay St-Denis J. et Dumais Rolland
* **Mon chat, le soigner le guérir,** D'Orangeville Christian
Observations sur les mammifères, Provencher Paul
Papillons du Québec, Veilleux Christian et Prévost Bernard
Petite ferme, T. 1, Les animaux, Trait Jean-Claude
Vous et votre berger allemand, Eylat Martin
Vous et votre caniche, Shira Sav
Vous et votre chat de gouttière, Gadi Sol
Vous et votre chow-chow, Pierre Boistel
Vous et votre husky, Eylat Martin
Vous et votre labrador, Van Der Heyden Pierre
Vous et vos oiseaux de compagnie, Huard-Viau Jacqueline
Vous et votre persan, Gadi Sol
Vous et votre setter anglais, Eylat Martin
Vous et vos poissons d'aquarium, Ganiel Sonia
Vous et votre siamois, Eylat Odette

ARTISANAT/ARTS MÉNAGERS

Appareils électro-ménagers, Prentice-Hall of Canada
* **Art du pliage du papier,** Harbin Robert
Artisanat québécois, T. 1, Simard Cyril
Artisanat québécois, T. 2, Simard Cyril
Artisanat québécois, T. 3, Simard Cyril
Bon Fignolage, Le, Arvisais Dolorès A.
Coffret artisanat, Simard Cyril
Comment aménager une salle
Comment utiliser l'espace
Construire sa maison en bois rustique, Mann D. et Skinulis R.
Crochet Jacquard, Le, Thérien Brigitte
Cuir, Le, Saint-Hilaire Louis et Vogt Walter
Décapage-rembourrage
Décoration intérieure, La,
Dentelle, T. 1, La, De Seve Andrée-Anne
Dentelle, T. 2, La, De Seve Andrée-Anne
Dessiner et aménager son terrain, Prentice-Hall of Canada
Encyclopédie de la maison québécoise, Lessard Michel
Encyclopédie des antiquités, Lessard Michel
Entretenir et embellir sa maison, Prentice-Hall of Canada

Entretien et réparation de la maison, Prentice-Hall of Canada
Guide du chauffage au bois, Flager Gordon
J'apprends à dessiner, Nash Joanna
J'isole mieux, Eakes Jon
Je décore avec des fleurs, Bassili Mimi
Mécanique de mon auto, La, Time-Life Book
Menuiserie, La, Prentice-Hall of Canada
* **Noeuds, Les,** Shaw George Russell
Outils manuels, Les, Prentice-Hall of Canada
Petits appareils électriques, Prentice-Hall of Canada
Piscines, barbecues et patio
Terre cuite, Fortier Robert
Tissage, Le, Grisé-Allard Jeanne et Galarneau Germaine
Tout sur le macramé, Harvey Virginia L.
Trucs ménagers, Godin Lucille
Vitrail, Le, Bettinger Claude

ART CULINAIRE

À table avec soeur Angèle, Soeur Angèle
Art d'apprêter les restes, L', Lapointe Suzanne
* **Art de la cuisine chinoise, L',** Chan Stella
Art de la table, L', Du Coffre Marguerite
Barbecue, Le, Dard Patrice
Bien manger à bon compte, Gauvin Jocelyne
Boîte à lunch, La, Lambert-Lagacé Louise
Brunches & petits déjeuners en fête, Bergeron Yolande
Cheddar, Le, Clubb Angela
Cocktails & punchs au vin, Poister John
Cocktails de Jacques Normand, Normand Jacques
Coffret la cuisine
Confitures, Les, Godard Misette
Congélation de A à Z, La, Hood Joan
* **Congélation des aliments,** Lapointe Suzanne
* **Conserves, Les,** Sansregret Berthe
Cornichons, Ketchups et Marinades, Chesman Andrea
* **Cuisine au wok,** Solomon Charmaine
Cuisine chinoise, La, Gervais Lizette
Cuisine de Pol Martin, Martin Pol
Cuisine facile aux micro-ondes, Saint-Amour Pauline
Cuisine joyeuse de soeur Angèle, La, Soeur Angèle
* **Cuisine micro-ondes, La,** Benoit Jehane
Cuisine santé pour les aînés, Hunter Denyse
Cuisiner avec le four à convection, Benoit Jehane
Cuisinez selon le régime Scarsdale, Corlin Judith
* **Faire son pain soi-même,** Murray Gill Janice
Faire son vin soi-même, Beaucage André
* **Fondues & flambées de maman Lapointe,** Lapointe Suzanne
Fondues, Les, Dard Patrice
Guide canadien des viandes, Le, App. & Services Canada
* **Guide complet du barman,** Normand Jacques
Muffins, Les, Clubb Angela
* **Nouvelle cuisine micro-ondes, La,** Marchand Marie-Paul et Grenier Nicole
Nouvelle cuisine micro-ondes II, La, Marchand Marie-Paul, Grenier Nicole
Pâtes à toutes les sauces, Les, Lapointe Lucette
Pâtisserie, La, Bellot Maurice-Marie
Pizza, La, Dard Patrice
Poissons et fruits de mer, Sansregret Berthe
Recettes au blender, Huot Juliette
Recettes canadiennes de Laura Secord, Canadian Home Economics Association
Recettes de gibier, Lapointe Suzanne
Recettes de maman Lapointe, Les, Lapointe Suzanne
Recettes Molson, Beaulieu Marcel
Robot culinaire, Le, Martin Pol
Salades, sandwichs, hors-d'oeuvre, Martin Pol

BIOGRAPHIES POPULAIRES

Boy George, Ginsberg Merle
Daniel Johnson, T. 1, Godin Pierre
Daniel Johnson, T. 2, Godin Pierre
Daniel Johnson — Coffret, Godin Pierre
Duplessis, T. 1 — L'ascension, Black Conrad
Duplessis, T. 2 — Le pouvoir, Black Conrad
Duplessis — Coffret, Black Conrad
Dynastie des Bronfman, La, Newman Peter C.
Establishment canadien, L', Newman Peter C.
Frère André, Le, Lachance Micheline
Mastantuono, Mastantuono Michel
Maurice Richard, Pellerin Jean
Mulroney, Macdonald L.I.
Nouveaux Riches, Les, Newman Peter C.
Prince de l'église, Le, Lachance Micheline
Saga des Molson, La, Woods Shirley

DIÉTÉTIQUE

Contrôlez votre poids, Ostiguy Dr Jean-Paul
* **Cuisine sage,** Lambert-Lagacé Louise
Diététique dans la vie quotidienne, Lambert-Lagacé Louise
* **Maigrir en santé,** Hunter Denyse
* **Menu de santé,** Lambert-Lagacé Louise
Nouvelle cuisine santé, Hunter Denyse
Oubliez vos allergies et... bon appétit, Association de l'information sur les allergies
Petite & grande cuisine végétarienne, Bédard Manon
Plan d'attaque Weight Watchers, Le, Nidetch Jean
Recettes pour aider à maigrir, Ostiguy Dr Jean-Paul
* **Régimes pour maigrir,** Beaudoin Marie-Josée
Sage Bouffe de 2 à 6 ans, La, Lambert-Lagacé Louise
Weight Watchers — cuisine rapide et savoureuse, Weight Watchers
Weight Watchers-agenda 85 — Français, Weight Watchers
Weight Watchers-Agenda 85 — Anglais, Weight Watchers

DIVERS

Chaînes stéréophoniques, Les, Poirier Gilles
Chômage: mode d'emploi, Limoges Jacques
Conseils aux inventeurs, Robic Raymond
Protégeons-nous, Trebilcock Michael et Mcneil Patricia
Roulez sans vous faire rouler, T. 3, Edmonston Philippe
Savoir vivre d'aujourd'hui, Fortin Jacques Marcelle
Temps des fêtes au Québec, Le, Montpetit Raymond
Tenir maison, Gaudet-Smet Françoise
Votre système vidéo, Boisvert Michel, Lafrance André A.

ENFANCE

* **Aider son enfant en maternelle,** Pedneault-Pontbriand Louise
* **Aidez votre enfant à lire et à écrire,** Doyon-Richard Louise
Aidez votre enfant à lire et à écrire, Doyon-Richard Louise
Alimentation futures mamans, Gougeon Réjeanne et Sekely Trude
Années clés de mon enfant, Les, Caplan Frank et Theresa
* **Autorité des parents dans la famille,** Rosemond John K.
Avoir des enfants après 35 ans, Robert Isabelle
Comment amuser nos enfants, Stanké Louis
* **Comment nourrir son enfant,** Lambert-Lagacé Louise
Deuxième année de mon enfant, La, Caplan Frank et Theresa
* **Développement psychomoteur du bébé,** Calvet Didier
Douze premiers mois de mon enfant, Les, Caplan Frank
* **En attendant notre enfant,** Pratte-Marchessault Yvette
* **Encyclopédie de la santé de l'enfant,** Feinbloom Richard I.
Enfant stressé, L', Elkind David
Enfant unique, L', Peck Ellen
Femme enceinte, La, Bradley Robert A.

Fille ou garçon, Langendoen Sally, Proctor William
* **Frères-soeurs,** Mcdermott Dr John F. Jr.
Futur père, Pratte-Marchessault Yvette
* **Jouons avec les lettres,** Doyon-Richard Louise
* **Langage de votre enfant, Le,** Langevin Claude
Maman et son nouveau-né, La, Sekely Trude
* **Massage des bébés, Le,** Auckette Amélia D.
Merveilleuse histoire de la naissance, La, Gendron Dr Lionel
Mon enfant naîtra-t-il en bonne santé?, Scher Jonathan, Dix Carol
Pour bébé, le sein ou le biberon?, Pratte-Marchessault Yvette
Pour vous future maman, Sekely Trude
Préparez votre enfant à l'école, Doyon-Richard Louise
* **Psychologie de l'enfant,** Cholette-Pérusse Françoise
Secret du paradis, Le, Stolkowski Joseph
* **Tout se joue avant la maternelle,** Ibuka Masaru
Un enfant naît dans la chambre de naissance, Fortin Nolin Louise
Viens jouer, Villeneuve Michel José
Vivez sereinement votre maternité, Vellay Dr Pierre
Vivre une grossesse sans risque, Fried, Dr Peter A.

ÉSOTÉRISME

Coffret — Passé — Présent — Avenir
Graphologie, La, Santoy Claude
Hypnotisme, L', Manolesco Jean
* **Interprétez vos rêves,** Stanké Louis
* **Lignes de la main,** Stanké Louis
Lire dans les lignes de la main, Morin Michel
Prévisions astrologiques 1985, Hirsig Huguette
Vos rêves sont des miroirs, Cayla Henri
* **Votre avenir par les cartes,** Stanké Louis

HISTOIRE

Arrivants, Les, Collectif
Ramsès II, le pharaon triomphant, Kitchen K.A.

INFORMATIQUE

* **Découvrir son ordinateur personnel,** Faguy François
Guide d'achat des micro-ordinateurs, Le Blanc Pierre

JARDINAGE

Arbres, haies et arbustes, Pouliot Paul
Culture des fleurs, des fruits, Prentice-Hall of Canada
Encyclopédie du jardinier, Perron W.H.
Guide complet du jardinage, Wilson Charles
Petite ferme, T. 2 — Jardin potager, Trait Jean-Claude
Plantes d'intérieur, Les, Pouliot Paul
Techniques du jardinage, Les, Pouliot Paul
* **Terrariums, Les,** Kayatta Ken

JEUX & DIVERTISSEMENTS

Améliorons notre bridge, Durand Charles
* **Bridge, Le,** Beaulieu Viviane
Clés du scrabble, Les, Sigal Pierre A.
Collectionner les timbres, Taschereau Yves
* **Dictionnaire des mots croisés, noms communs,** Lasnier Paul
* **Dictionnaire des mots croisés, noms propres,** Piquette Robert
* **Dictionnaire raisonné des mots croisés,** Charron Jacqueline
Finales aux échecs, Les, Santoy Claude
Jeux de société, Stanké Louis
* **Jouons ensemble,** Provost Pierre
* **Ouverture aux échecs,** Coudari Camille
Scrabble, Le, Gallez Daniel
Techniques du billard, Morin Pierre
* **Voir clair aux échecs,** Tranquille Henri

LINGUISTIQUE

Améliorez votre français, Laurin Jacques
* **Anglais par la méthode choc, L',** Morgan Jean-Louis
Corrigeons nos anglicismes, Laurin Jacques
* **J'apprends l'anglais,** Silicani Gino
Notre français et ses pièges, Laurin Jacques
Petit dictionnaire du joual, Turenne Auguste
Secrétaire bilingue, La, Lebel Wilfrid
Verbes, Les, Laurin Jacques

LIVRES PRATIQUES

Bonnes idées de maman Lapointe, Les, Lapointe Lucette
Temps c'est de l'argent, Le, Davenport Rita

MUSIQUE ET CINÉMA

Wolfgang Amadeus Mozart raconté en 50 chefs-d'oeuvre, Roussel Paul
* **Belles danses, Les,** Dow Allen
* **Guitare, La,** Collins Peter

NOTRE TRADITION

Coffret notre tradition
Écoles de rang au Québec, Les, Dorion Jacques
Encyclopédie du Québec, T. 1, Landry Louis
Encyclopédie du Québec, T. 2, Landry Louis
Histoire de la chanson québécoise, L'Herbier Benoît
Maison traditionnelle, La, Lessard Micheline
Moulins à eau de la vallée du Saint-Laurent, Adam Villeneuve
Objets familiers de nos ancêtres, Genet Nicole
Vive la compagnie, Daigneault Pierre

OUVRAGES DE RÉFÉRENCE

Acheter ou vendre sa maison, Brisebois Lucille
Acheter et vendre sa maison ou son condominium, Brisebois Lucille
Bourse, La, Brown Mark
Choix de carrières, T. 1, Milot Guy
Choix de carrières, T. 2, Milot Guy
Choix de carrières, T. 3, Milot Guy
Comment rédiger son curriculum vitae, Brazeau Julie
Dictionnaire économique et financier, Lafond Eugène
Faire son testament soi-même, Me Poirier Gérald et Lescault Nadeau Martine (notaire)
Faites fructifier votre argent, Zimmer Henri B.
Je cherche un emploi, Brazeau Julie
Loi et vos droits, La, Marchand Paul-Émile
Règles d'or de la vente, Les, Kahn George N.
Stratégies de placements, Nadeau Nicole
Vente, La, Hopkins Tom

PHOTOGRAPHIE (ÉQUIPEMENT ET TECHNIQUE)

* **Apprenez la photographie avec Antoine Desilets,** Desilets Antoine
Chasse photographique, La, Coiteux Louis
8/Super 8/16, Lafrance André
Initiation à la Photographie-Canon, London Barbara
Initiation à la Photographie-Minolta, London Barbara
Initiation à la Photographie-Nikon, London Barbara
Initiation à la Photographie-Olympus, London Barbara
Initiation à la Photographie-Pentax, London Barbara
Initiation à la photographie, London Barbara
* **Je développe mes photos,** Desilets Antoine
* **Je prends des photos,** Desilets Antoine
* **Photo à la portée de tous,** Desilets Antoine
Photo guide, Desilets Antoine
* **Technique de la photo, La,** Desilets Antoine

PSYCHOLOGIE

Âge démasqué, L', De Ravinel Hubert
* **Aider mon patron à m'aider,** Houde Eugène
* **Amour de l'exigence à la préférence,** Auger Lucien

Au-delà de l'intelligence humaine, Pouliot Élise
Auto-développement, L', Garneau Jean
Bonheur au travail, Le, Houde Eugène
Bonheur possible, Le, Blondin Robert
Chimie de l'amour, La, Liebowitz Michael
* **Coeur à l'ouvrage, Le,** Lefebvre Gérald

Coffret psychologie moderne
Colère, La, Tavris Carol
* **Comment animer un groupe,** Office Catéchèse
* **Comment avoir des enfants heureux,** Azerrad Jacob
* **Comment déborder d'énergie,** Simard Jean-Paul

Comment vaincre la gêne, Catta Rene-Salvator
* **Communication et épanouissement personnel,** Auger Lucien
* **Communication dans le couple, La,** Granger Luc

Comprendre la névrose et aider les névrosés, Ellis Albert
* **Contact,** Zunin Nathalie
* **Courage de vivre, Le,** Kiev Docteur A.

Courage et discipline au travail, Houde Eugène
Dynamique des groupes, Aubry J.-M. et Saint-Arnaud Y.
Élever des enfants sans perdre la boule, Auger Lucien
* **Émotivité et efficacité au travail,** Houde Eugène
* **Être soi-même,** Corkille Briggs, D.
* **Facteur chance, Le,** Gunther Max
* **Fantasmes créateurs, Les,** Singer Jérôme
* **J'aime,** Saint-Arnaud Yves

Journal intime intensif, Progoff Ira
* **Mise en forme psychologique,** Corrière Richard
* **Parle-moi... J'ai des choses à te dire,** Salome Jacques

Penser heureux, Auger Lucien
* **Personne humaine, La,** Saint-Arnaud Yves
* **Première impression, La,** Kleinke Chris, L.

Prévenir et surmonter la déprime, Auger Lucien
* **Psychologie dans la vie quotidienne,** Blank Dr Léonard
* **Psychologie de l'amour romantique,** Braden docteur N.
* **Qui es-tu grand-mère? Et toi grand-père?,** Eylat Odette
* **S'affirmer & communiquer,** Beaudry Madeleine
* **S'aider soi-même,** Auger Lucien
* **S'aider soi-même davantage,** Auger Lucien
* **S'aimer pour la vie,** Wanderer Dr Zev
* **Savoir organiser, savoir décider,** Lefebvre Gérald
* **Savoir relaxer et combattre le stress,** Jacobson Dr Edmund
* **Se changer,** Mahoney Michael
* **Se comprendre soi-même par des tests,** Collectif
* **Se concentrer pour être heureux,** Simard Jean-Paul

Se connaître soi-même, Artaud Gérard
* **Se contrôler par biofeedback,** Ligonde Paultre
* **Se créer par la Gestalt,** Zinker Joseph
* **S'entraider,** Limoges Jacques
* **Se guérir de la sottise,** Auger Lucien

Séparation du couple, La, Weiss Robert S.
Sexualité au bureau, La, Horn Patrice
Tendresse, La, Wölfl Norbert
* **Vaincre ses peurs,** Auger Lucien

Vivre à deux: plaisir ou cauchemar, Duval Jean-Marie
* **Vivre avec sa tête ou avec son coeur,** Auger Lucien

Vivre c'est vendre, Chaput Jean-Marc
* **Vivre jeune,** Waldo Myra
* **Vouloir c'est pouvoir,** Hull Raymond

ROMANS/ESSAIS

Adieu Québec, Bruneau André
Bien-pensants, Les, Berton Pierre
Bousille et les justes, Gélinas Gratien
Coffret Establishment canadien, Newman Peter C.
Coffret Joey
C.P., Susan Goldenberg
Commettants de Caridad, Les, Thériault Yves
Deux innocents en Chine Rouge, Hébert Jacques
Dome, Jim Lyon

SANTÉ ET ESTHÉTIQUE

SEXOLOGIE

SPORTS

* **Comment se sortir du trou au golf,** Brien Luc
* **Comment vivre dans la nature,** Rivière Bill
* **Corrigez vos défauts au golf,** Bergeron Yves

Devenir gardien de but au hockey, Allaire François
Encyclopédie de la chasse au Québec, Leiffet Bernard
Entraînement, poids-haltères, L', Ryan Frank
Exercices à deux, Gregor Carol
Golf au féminin, Le, Bergeron Yves
Grand livre des sports, Le, Le groupe Diagram
Guide complet du judo, Arpin Louis
* **Guide complet du self-defense,** Arpin Louis

Guide d'achat de l'équipement de tennis, Chevalier Richard, Gilbert Yvon
* **Guide de survie de l'armée américaine**

Guide des jeux scouts, Association des scouts
Guide du judo au sol, Arpin Louis
Guide du self-defense, Arpin Louis
Guide du trappeur, Le, Provencher Paul
Hatha yoga, Piuze Suzanne
* **J'apprends à nager,** Lacoursière Réjean
* **Jogging, Le,** Chevalier Richard

Jouez gagnant au golf, Brien Luc
Larry Robinson, le jeu défensif, Robinson Larry
Lutte olympique, La, Sauvé Marcel
* **Manuel de pilotage,** Transports Canada
* **Marathon pour tous,** Anctil Pierre
* **Médecine sportive,** Mirkin Dr Gabe

Mon coup de patin, Wild John
* **Musculation pour tous,** Laferrière Serge

Natation de compétition, La, Lacoursière Réjean
Partons en camping, Satterfield Archie, Bauer Eddie
Partons sac au dos, Satterfield Archie, Bauer Eddie
Passes au hockey, Les, Champleau Claude
Pêche au Québec, La, Chamberland Michel
Pêche à la mouche, La, Marleau Serge
Pêche à la mouche, Vincent Serge-J.
* **Planche à voile, La,** Maillefer Gérald
* **Programme XBX,** Aviation Royale du Canada

Provencher, le dernier coureur des bois, Provencher Paul
Racquetball, Corbeil Jean
Racquetball plus, Corbeil Jean
Raquette, La, Osgoode William
* **Règles du golf, Les,** Bergeron Yves

Rivières et lacs canotables, Fédération québécoise du canot-camping
* **S'améliorer au tennis,** Chevalier Richard

Secrets du baseball, Les, Raymond Claude
Ski de fond, Le, Caldwell John
Ski de fond, Le, Roy Benoît
* **Ski de randonnée, Le,** Corbeil Jean

Soccer, Le, Schwartz Georges
* **Sport, santé et nutrition,** Ostiguy Dr Jean

Stratégie au hockey, Meagher John W.
Surhommes du sport, Les, Desjardins Maurice
* **Taxidermie, La,** Labrie Jean

Techniques du billard, Morin Pierre
* **Technique du golf,** Brien Luc

Techniques du hockey en URSS, Dyotte Guy
* **Techniques du tennis,** Ellwanger
* **Tennis, Le,** Roch Denis

Tous les secrets de la chasse, Chamberland Michel
Vivre en forêt, Provencher Paul
Voie du guerrier, La, Di Villadorata
Yoga des sphères, Le, Leclerq Bruno

ANIMAUX

Guide du chat et de son maître, Laliberté Robert
Guide du chien et de son maître, Laliberté Robert
Poissons de nos eaux, Melançon Claude

ART CULINAIRE ET DIÉTÉTIQUE

Armoire aux herbes, L', Mary Jean
Breuvages pour diabétiques, Binet Suzanne
Cuisine du jour, La, Pauly Robert
Cuisine sans cholestérol, Boudreau-Pagé
Desserts pour diabétiques, Binet Suzanne
Jus de santé, Les, Brunet Jean-Marc
Mangez ce qui vous chante, Pearson Dr Leo
Mangez, réfléchissez et devenez svelte, Kothkin Leonid
Nutrition de l'athlète, Brunet Jean-Marc
Recettes Soeur Berthe — été, Sansregret soeur Berthe
Recettes Soeur Berthe — printemps, Sansregret soeur Berthe

ARTISANAT/ARTS MÉNAGERS

Décoration, La, Carrier Diane
Diagrammes de courtepointes, Faucher Lucille
Douze cents nouveaux trucs, Grisé-Allard Jeanne
Encore des trucs, Grisé-Allard Jeanne
Mille trucs madame, Grisé-Allard Jeanne
Toujours des trucs, Grisé-Allard Jeanne

DIVERS

Administrateur de la prise de décision, L', Filiatreault P., Perreault, Y.G.
Administration, développement, Laflamme Marcel
Assemblées délibérantes, Béland Claude
Assoiffés du crédit, Les, Féd. des A.C.E.F.
Baie James, La, Bourassa Robert
Bien s'assurer, Boudreault Carole
Cent ans d'injustice, Hertel François
Ces mains qui vous racontent, Boucher André-Pierre
550 métiers et professions, Charneux Helmy
Coopératives d'habitation, Les, Leduc Murielle
Dangers de l'énergie nucléaire, Les, Brunet Jean-Marc
Dis papa c'est encore loin, Corpatnauy Francis
Dossier pollution, Chaput Marcel
Énergie aujourd'hui et demain, De Martigny François
Entreprise, le marketing et, L', Brousseau
Forts de l'Outaouais, Les, Dunn Guillaume
Grève de l'amiante, La, Trudeau Pierre
Guide de l'aventure, Bertolino Nicole et Daniel
Hiérarchie ethnique dans la grande entreprise, Rainville Jean
Impossible Québec, Brillant Jacques
Initiation au coopératisme, Béland Claude
Julius Caesar, Roux Jean-Louis
Lapokalipso, Duguay Raoul
Lune de trop, Une, Gagnon Alphonse
Manifeste de l'infonie, Duguay Raoul
Mouvement coopératif québécois, Deschêne Gaston
Obscénité et liberté, Hébert Jacques
Philosophie du pouvoir, Blais Martin
Pourquoi le bill 60, Gérin-Lajoie P.
Stratégie et organisation, Desforges Jean, Vianney C.
Trois jours en prison, Hébert Jacques
Vers un monde coopératif, Davidovic Georges
Vivre sur la terre, St-Pierre Hélène
Voyage à Terre-Neuve, De Gébineau comte

ENFANCE

Aidez votre enfant à choisir, Simon Dr Sydney B.
Deux caresses par jour, Minden Harold
* **Enseignants efficaces,** Gordon Thomas
Être mère, Bombeck Erma
Parents efficaces, Gordon Thomas
Parents gagnants, Nicholson Luree
Psychologie de l'adolescent, Pérusse-Cholette Françoise
1500 prénoms et significations, Grisé Allard J.

ÉSOTÉRISME

* **Astrologie et la sexualité, L',** Justason Barbara
Astrologie et vous, L', Boucher André-Pierre
* **Astrologie pratique, L',** Reinicke Wolfgang
Faire sa carte du ciel, Filbey John
* **Géomancie, La,** Hamaker Karen
Grand livre de la cartomancie, Le, Von Lentner G.
* **Grand livre des horoscopes chinois, Le,** Lau Theodora
Graphologie, La, Cobbert Anne
* **Horoscope et énergie psychique,** Hamaker-Zondag
Horoscope chinois, Del Sol Paula
Lu dans les cartes, Jones Marthy
* **Pendule et baguette,** Kirchner Georg
* **Pratique du tarot, La,** Thierens E.
Preuves de l'astrologie, Comiré André
Qui êtes-vous? L'astrologie répond, Tiphaine
Synastrie, La, Thornton Penny
Traité d'astrologie, Hirsig Huguette
Votre destin par les cartes, Dee Nerys

HISTOIRE

Administration en Nouvelle-France, L', Lanctot Gustave
Crise de la conscription, La, Laurendeau André
Histoire de Rougemont, Bédard Suzanne
Lutte pour l'information, La, Godin Pierre
Mémoires politiques, Chaloult René
Rébellion de 1837, Saint-Eustache, Globensky Maximilien
Relations des Jésuites T. 2
Relations des Jésuites T. 3
Relations des Jésuites T. 4
Relations des Jésuites T. 5

JEUX & DIVERTISSEMENTS

Backgammon, Lesage Denis

LINGUISTIQUE

Des mots et des phrases, T. 1, Dagenais Gérard
Des mots et des phrases, T. 2, Dagenais Gérard
Joual de Troie, Marcel Jean

NOTRE TRADITION

Ah mes aïeux, Hébert Jacques
Lettre à un Français qui veut émigrer au Québec, Dubuc Carl

OUVRAGES DE RÉFÉRENCE

Règles d'or de la vente, Les, Kahn George N.

PSYCHOLOGIE

* **Adieu,** Halpern Dr Howard
* **Agressivité créatrice,** Bach Dr George
* **Aimer son prochain comme soi-même,** Murphy Joseph
* **L'Anti-stress,** Eylat Odette
Arrête! tu m'exaspères, Bach Dr George
Art d'engager la conversation et de se faire des amis, L', Gabor Don
* **Art d'être égoïste, L',** Kirschner Josef
* **Art de convaincre, L',** Ryborz Heinz
* **Au centre de soi,** Gendlin Dr Eugène
* **Auto-hypnose, L',** Le Cron M. Leslie
Autre femme, L', Sevigny Hélène
* **Bien dans sa peau grâce à la technique Alexander,** Stransky Judith
Ces vérités vont changer votre vie, Murphy Joseph
Chemin infaillible du succès, Le, Stone W. Clément
Clefs de la confiance, Les, Gibb Dr Jack
Comment aimer vivre seul, Shanon Lynn

* **Comment devenir des parents doués,** Lewis David
* **Comment dominer et influencer les autres,** Gabriel H.W.

Comment s'arrêter de fumer, Mc Farland J. Wayne

* **Comment vaincre la timidité en amour,** Weber Éric

Contacts en or avec votre clientèle, Sapin Gold Carol

* **Contrôle de soi par la relaxation,** Marcotte Claude

Couple homosexuel, Le, McWhirter David P., Mattison Andrew M.

Découvrez l'inconscient par la parapsychologie, Ryzl Milan

* **Devenir autonome,** St-Armand Yves
* **Dire oui à l'amour,** Buscaglia Léo

Enfants du divorce se racontent, Les, Robson Bonnie

* **Ennemis intimes,** Bach Dr George

Espaces intérieurs, Les, Eisenberg Dr Howard

États d'esprit, Glasser Dr William

* **Être efficace,** Hanot Marc

Être homme, Goldberg Dr Herb

* **Fabriquer sa chance,** Gittenson Bernard

Famille moderne et son avenir, La, Richards Lyn

Gagner le match, Gallwey Timothy

Gestalt, La, Polster Erving

Guide de l'urgence-stress, Reuben Dr David

Guide du succès, Le, Hopkins Tom

L'Harmonie, une poursuite du succès, Vincent Raymond

* **Homme au dessert, Un,** Friedman Sonya
* **Homme nouveau, L', Bodymind,** Dychtwald Ken
* **Jouer le tout pour le tout,** Frederick Carl

Maigrir sans obsession, Orbach Susie

Maîtriser la douleur, Bogin Meg

Maîtriser son destin, Kirschner Josef

Manifester son affection, Bach Dr George

* **Mémoire, La,** Loftus Elizabeth
* **Mémoire à tout âge, La,** Dereskey Ladislaus
* **Mère et fille,** Horwick Kathleen
* **Miracle de votre esprit,** Murphy Joseph
* **Mort et après, La,** Ryzl Milan
* **Négocier entre vaincre et convaincre,** Warschaw Dr Tessa

Nouvelles Relations entre hommes et femmes, Goldberg Herb

* **On n'a rien pour rien,** Vincent Raymond
* **Oracle de votre subconscient,** Murphy Joseph

Paradigme holographique, Le, Wilber Ken

Parapsychologie, La, Ryzl Milan

* **Parlez pour qu'on vous écoute,** Brien Micheline
* **Partenaires,** Bach Dr George

Passion du succès, La, Vincent Raymond

* **Pensée constructive et bon sens,** Vincent Dr Raymond
* **Penser mieux,** Lewis Dr David

Personnalité, La, Buscaglia Léo

Personne n'est parfait, Weisinger Dr H.

Pourquoi ne pleures-tu pas?, Yahraes Herbert, McKnew Donald H. Jr., Cytryn Leon

Pouvoir de votre cerveau, Le, Brown Barbara

Prospérité, La, Roy Maurice

* **Psy-jeux,** Masters Robert
* **Puissance de votre subconscient, La,** Murphy Dr Joseph
* **Qui veut peut,** Sher Barbara

Reconquête de soi, La, Paupst Dr James C.

* **Réfléchissez et devenez riche,** Hill Napoléon
* **Réussir,** Hanot Marc

Rythmes de votre corps, Les, Weston Lee

Se vider dans la vie et au travail, Pines Ayala M.

* **Secrets de la communication,** Bandler Richard
* **Self-control,** Marcotte Claude
* **Succès par la pensée constructive, Le,** Hill Napoléon

Technostress, Brod Craig

* **Thérapies au féminin, Les,** Brunet Dominique

Tout ce qu'il y a de mieux, Vincent Raymond

Triomphez de vous-même et des autres, Murphy Dr Joseph

Vaincre la dépression par la volonté et l'action, Marcotte Claude

* **Vieillir en beauté,** Oberleder Muriel
* **Vivre c'est vendre,** Chaput Jean-Marc
* **Vivre heureux avec le strict nécessaire,** Kirschner Josef

Votre perception extra-sensorielle, Milan Dr Ryzl

* **Voyage vers la guérison,** Naranjo Claudio

ROMANS/ESSAIS

À la mort de mes 20 ans, Gagnon P.O.
Affrontement, L', Lamoureux Henri
Bois brûlé, Roux Jean-Louis
100 000e exemplaire, Le, Dufresne Jacques
C't'a ton tour Laura Cadieux, Tremblay Michel
Cité dans l'oeuf, La, Tremblay Michel
Coeur de la baleine bleue, Poulin Jacques
Coffret petit jour, Martucci Abbé Jean
Colin-Maillard, Hémon Louis
Contes pour buveurs attardés, Tremblay Michel
Contes érotiques indiens, Schwart Herbert
Crise d'octobre, Pelletier Gérard
Cyrille Vaillancourt, Lamarche Jacques
Desjardins Al., Homme au service, Lamarche Jacques
De Z à A, Losique Serge
Deux Millième étage, Le, Carrier Roch
D'Iberville, Pellerin Jean
Dragon d'eau, Le, Holland R.F.
Équilibre instable, L', Deniset Louis
Éternellement vôtre, Péloquin Claude
Femme d'aujourd'hui, La, Landsberg Michele
Femmes et politique, Cohen Yolande
Filles de joie et filles du roi, Lanctot Gustave
Floralie où es-tu, Carrier Roch
Fou, Le, Châtillon Pierre
Français langue du Québec, Le, Laurin Camille
Hommes forts du Québec, Weider Ben
Il est par là le soleil, Carrier Roch
J'ai le goût de vivre, Delisle Isabelle
J'avais oublié que l'amour, Doré-Joyal Yves
Jean-Paul ou les hasards de la vie, Bellier Marcel
Johnny Bungalow, Villeneuve Paul
Jolis Deuils, Carrier Roch
Lettres d'amour, Champagne Maurice
Louis Riel patriote, Bowsfield Hartwell
Louis Riel un homme à pendre, Osler E.B.
Ma chienne de vie, Labrosse Jean-Guy
Marche du bonheur, La, Gilbert Normand
Mémoires d'un Esquimau, Metayer Maurice
Mon cheval pour un royaume, Poulin J.
Neige et le feu, La, Baillargeon Pierre
N'Tsuk, Thériault Yves
Orphelin esclave de notre monde, Labrosse Jean
Oslovik fait la bombe, Oslovik
Parlez-moi d'humour, Hudon Normand
Scandale est nécessaire, Le, Baillargeon Pierre
Vivre en amour, Delisle Lapierre

SANTÉ

Alcool et la nutrition, L', Brunet Jean-Marc
Bruit et la santé, Le, Brunet Jean-Marc
Chaleur peut vous guérir, La, Brunet Jean-Marc
Échec au vieillissement prématuré, Blais J.
Greffe des cheveux vivants, Guy Dr
Guérir votre foie, Brunet Jean-Marc
Information santé, Brunet Jean-Marc
Libérez-vous de vos troubles, Saponaro Aldo
Magie en médecine, Silva Raymond
Maigrir naturellement, Lauzon Jean-Luc
Mort lente par le sucre, Duruisseau Jean-Paul
40 ans, âge d'or, Taylor Eric
Recettes naturistes pour arthritiques et rhumatisants, Cuillerier Luc
Santé de l'arthritique et du rhumatisant, Labelle Yvan
* **Tao de longue vie, Le,** Soo Chee
Vaincre l'insomnie, Filion Michel, Boisvert Jean-Marie, Melanson Danielle
Vos aliments sont empoisonnés, Leduc Paul

SEXOLOGIE

* **Aimer les hommes pour toutes sortes de bonnes raisons,** Nir Dr Yehuda
* **Apprentissage sexuel au féminin, L',** Kassorla Irene
* **Comment faire l'amour à un homme,** Penney Alexandra
* **Comment faire l'amour à une femme,** Morgenstern Michael
* **Comment faire l'amour ensemble,** Penney Alexandra
* **Comment séduire les filles,** Weber Éric

Dépression nerveuse et le corps, La, Lowen Dr Alexander
Drogues, Les, Boutot Bruno
* **Femme célibataire et la sexualité, La,** Robert M.
* **Jeux de nuit,** Bruchez Chantal
* **Massage en profondeur, Le,** Bélair Michel
Massage pour tous, Le, Morand Gilles
* **Orgasme au féminin, L',** L'heureux Christine
* **Orgasme au masculin, L',** Boutot Bruno
* **Orgasme au pluriel, L',** Boudreau Yves
Première fois, La, L'Heureux Christine
Rapport sur l'amour et la sexualité, Brecher Edward
Sexualité expliquée aux adolescents, La, Boudreau Yves
Sexualité expliquée aux enfants, La, Cholette Pérusse F.

SPORTS

Baseball-Montréal, Leblanc Bertrand
Chasse au Québec, Deyglun Serge
Chasse et gibier du Québec, Guardo Greg
Exercice physique pour tous, Bohemier Guy
Grande forme, Baer Brigitte
Guide des pistes cyclables, Guy Côté
Guide des rivières du Québec, Fédération canot-kayac
Lecture des cartes, Godin Serge
Offensive rouge, L', Boulonne Gérard
Pêche et coopération au Québec, Larocque Paul
Pêche sportive au Québec, Deyglun Serge
Raquette, La, Lortie Gérard
Santé par le yoga, Piuze Suzanne
Saumon, Le, Dubé Jean-Paul
Ski nordique de randonnée, Brady Michael
Technique canadienne de ski, O'Connor Lorne
Truite et la pêche à la mouche, La, Ruel Jeannot
Voile, un jeu d'enfants, La, Brunet Mario

Quinze

ASTROLOGIE

Ciel de mon pays, Le, T. 1, Haley Louise
Ciel de mon pays, Le, T. 2, Haley Louise

BIOGRAPHIES

Papineau, De Lamirande Claire
Personne ne voudra savoir, Schirm François

DIVERS

Défi québécois, Le, Monnet François-Marie
Dieu est Dieu nom de Dieu, Clavel Maurice
Hybride abattu, L', Boissonnault Pierre
Montréal ville d'avenir, Roy Jean
Nouveau Canada à notre mesure, Matte René
Pour une économie du bon sens, Pelletier Mario
Québec et ses partenaires, A.S.D.E.Q.
Qui décide au Québec?, Ass. des économistes du Québec
15 novembre 76, Dupont Pierre
Relations du travail, Centre des dirigeants d'entreprise
Schabbat, Bosco Monique
Syndicats en crise, Les, Dupont Pierre
Tant que le monde s'ouvrira, Gagnon G.
Tout sur les p'tits journaux, Fontaine Mario

HISTOIRE

Canada — Les débuts héroïques, Creighton Donald

HUMOUR

Humour d'Aislin, L', Mosher Terry-Aislin

LINGUISTIQUE

Guide raisonné des jurons, Pichette Jean

NOTRE TRADITION

À diable-vent, Gauthier Chassé Hélène
Barbes-bleues, Les, Bergeron Bertrand
Bête à sept têtes, La, Légaré Clément
C'était la plus jolie des filles, Deschênes Donald
Contes de bûcherons, Dupont Jean-Claude
Corbeau du mont de la Jeunesse, Le, Desjardins Philémon
Menteries drôles et merveilleuses, Laforte Conrad
Oiseau de la vérité, L', Aucoin Gérald
Pierre La Fève, Légaré Clément

PSYCHOLOGIE

Esprit libre, L', Powell Robert

ROMANS/ESSAIS

Aaron, Thériault Yves
Aaron, 10/10, Thériault Yves
Agaguk, Thériault Yves
Agaguk, 10/10, Thériault Yves
Agénor, Agénor, Agénor et Agénor, Barcelo François
Ah l'amour, l'amour, Audet Noël
Amantes, Brossard Nicole
Après guerre de l'amour, L', Lafrenière J.
Aube, Hogue Jacqueline
Aventure de Blanche Morti, L', Beaudin Beaupré Aline
Beauté tragique, Robertson Heat
Belle épouvante, La, Lalonde Robert
Black Magic, Fontaine Rachel
Blocs erratiques, Aquin Hubert
Blocs erratiques, 10/10, Aquin Hubert
Bourru mouillé, Poupart Jean-Marie
Bousille et les justes, Gélinas Gratien
Bousille et les justes, 10/10, Gélinas Gratien
Carolie printemps, Lafrenière Joseph
Charles Levy M.D., Bosco Monique
Chère voisine, Brouillet Chrystine
Chère voisine, 10/10, Brouillet Chrystine
Chroniques du Nouvel-Ontario, Brodeur Hélène
Confessions d'un enfant, Lamarche Jacques
Corps vêtu de mots, Le, Dussault Jean
Coup de foudre, Brouillet Chrystine
Couvade, La, Baillie Robert
Cul-de-sac, 10/10, Thériault Yves
De mémoire de femme, Andersen Marguerite
Demi-Civilisés, Les, 10/10, Harvey Jean-Charles
Dernier havre, Le, 10/10, Thériault Yves
Dernière chaîne, La, Latour Chrystine
Des filles de beauté, Baillie Robert
Difficiles lettres d'amour, Garneau Jacques
Dix contes et nouvelles fantastiques, Collectif
Dix nouvelles humoristiques, Collectif
Dompteurs d'ours, Le, Thériault Yves
Double suspect, Le, Monette Madeleine
En eaux troubles, Bowering George
Entre l'aube et le jour, Brodeur Hélène
Entre temps, Marteau Robert
Entretiens avec O. Létourneau, Huot Cécile
Esclave bien payée, Une, Paquin Carole
Essai sur l'Hindouisme, Dussault Jean-Claude
Été de Jessica, Un, Bergeron Alain
Et puis tout est silence, Jasmin Claude
Été sans retour, L', Gevry Gérard
Faillite du Canada anglais, La, Genuist Paul
Faire sa mort comme faire l'amour, Turgeon Pierre
Faire sa mort comme faire l'amour, 10/10, Turgeon Pierre

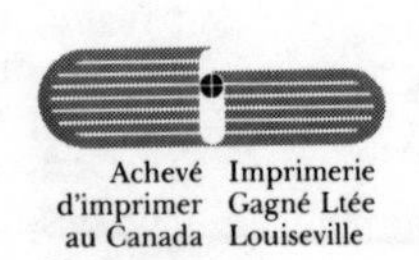

Achevé d'imprimer au Canada
Imprimerie Gagné Ltée Louiseville